Le retour
du
Jeune Prince

Le retour
du
Jeune Prince

A. G. Roemmers

Traduit de l'espagnol (Argentine)
par Martine Desoille

City
Roman

© **City Editions 2019** pour la traduction française
© 2011, 2018, A. G. Roemmers
Publié sous le titre *El regreso del Joven Príncipe*.
Illustrations intérieures et de couverture : © Laurie Hastings

ISBN : 978-2-8246-1444-1
Code Hachette : 46 6460 7

Collection dirigée par Christian English & Frédéric Thibaud
Catalogues et manuscrits : city-editions.com

Dépôt légal : Avril 2019

Chapitre premier

Je roulais seul dans mon automobile sur une route de Patagonie (une terre qui, dit-on, tiendrait son nom d'une tribu indigène aux pieds immenses) quand j'aperçus un objet à l'aspect singulier sur le bas-côté. Instinctivement, je freinai, et distinguai une mèche de cheveux blonds qui dépassait d'une couverture bleue. Intrigué, je coupai le moteur et descendis de voiture.

Là, dans cette lande déserte, à des centaines de kilomètres du village le plus proche, un jeune garçon dormait en toute quiétude, ses traits innocents parfaitement détendus.

Ce que j'avais tout d'abord pris pour une couverture était en réalité une grande cape bleue doublée de pourpre que la brise de printemps soulevait par instants, révélant un pantalon blanc passé dans des bottes de cuir noir comme en portent les cavaliers.

Cet accoutrement quasi princier avait quelque chose d'incongru sous ces latitudes. Je restai un moment à le contempler sans parvenir à m'expliquer cette mystérieuse présence. On aurait dit que même les tourbillons de poussière charriée par le vent qui soufflait des montagnes l'avaient épargné.

Je réalisai soudain que je ne pouvais pas le laisser seul au milieu de cette plaine aride, sans eau ni nourriture. Son aspect ne m'inspirait pas la moindre crainte, mais je dus vaincre une certaine appréhension pour l'approcher. Sans trop de difficultés, je le soulevai de terre et le déposai sur le siège passager.

Ne constatant aucune réaction de sa part, je crus qu'il était mort. Mais le battement faible, quoique régulier, de son pouls m'indiqua qu'il était bien vivant. Quand je laissai retomber sa main inerte sur le siège, j'eus l'étrange impression d'être en présence d'un ange tombé du ciel. Plus tard, je découvris qu'il était épuisé à l'extrême limite de ses forces.

Je songeai que les adultes, avec leurs incessantes mises en garde, finissaient par nous éloigner les uns des autres, au point que le moindre contact, même visuel, devenait une source de gêne et d'appréhension.

—J'ai soif, dit le garçon, me tirant brusquement de ma rêverie.

Le son de sa voix, à peine audible, ressemblait au murmure cristallin de l'eau qu'il me réclamait.

Pour des trajets comme celui-là, qui pouvaient durer jusqu'à trois jours, j'emportais toujours des provisions, afin d'éviter d'avoir à m'arrêter, sauf pour prendre de l'essence. Je lui tendis une bouteille et un gobelet en plastique, ainsi qu'un sandwich enveloppé dans du papier d'aluminium. Tandis qu'il buvait et mangeait en silence, les questions se bousculaient dans ma tête : *D'où vient-il ? Comment est-il arrivé jusqu'ici ? Que faisait-il étendu sur le bas-côté ? A-t-il de la famille ? Où sont ses parents ?* Étant curieux par nature, et toujours prêt à rendre service, je m'étonne même encore aujourd'hui d'avoir réussi à garder le silence pendant les longues minutes où mon passager reprenait des forces. Le garçon se restaurait tranquillement, comme s'il était parfaitement normal qu'un inconnu apparaisse comme par magie au milieu d'une zone semi-désertique et lui porte secours.

—Merci, me dit-il quand il eut fini, comme si ce simple mot suffisait à dissiper tous mes doutes.

Je réalisai soudain que je ne lui avais même pas demandé où il allait. L'ayant trouvé sur le côté droit de la route, j'en avais déduit qu'il se rendait au sud, mais il était plus probable qu'il cherchait à rejoindre la capitale, au nord.

C'est drôle comme nous avons a priori tendance à penser que les autres suivent le même chemin que nous.

Je me tournai de nouveau vers lui, mais trop tard : il était déjà retourné au pays des rêves.

Chapitre 2

Je roulais depuis un bon moment, quand je sentis qu'une paire d'yeux bleus m'observaient avec curiosité.

—Bonjour, dis-je en me tournant vers mon mystérieux passager.

—Comment s'appelle ce drôle d'engin ? me demanda-t-il en jetant des regards intrigués autour de lui. Où sont les ailes ?

—Tu veux parler de la voiture ?

—La voiture ? Elle ne peut pas décoller de terre ?

—Non, concédai-je, légèrement froissé dans mon amour-propre.

—Et elle ne peut pas sortir de cette piste grise ? s'enquit-il en désignant le pare-brise.

—Cette piste grise s'appelle une route, dis-je. Si nous sortions de la route à cette vitesse, nous nous tuerions à coup sûr.

—Toutes les routes sont-elles aussi tyranniques ? Qui les a inventées ?

—L'homme.

Répondre à des questions aussi simples me semblait incroyablement compliqué. Qui était cet enfant débordant d'innocence qui venait ébranler toutes les certitudes qu'on m'avait inculquées ?

—D'où viens-tu ? Comment es-tu arrivé jusqu'ici ?

Quelque chose dans son regard me semblait étrangement familier.

—Est-ce qu'il y a beaucoup de routes sur la Terre ? demanda-t-il sans prendre la peine de me répondre.

—Oh oui ! Elles sont tellement nombreuses qu'on ne peut pas les compter.

—Moi, je connais un endroit où il n'y a pas de routes, déclara-t-il.

—Mais comment font les gens pour ne pas se perdre ? m'étonnai-je, de plus en plus intrigué par cet étrange garçon.

—Et là où il n'y a pas de routes, sur Terre, reprit-il, imperturbable, les gens ne regardent pas le ciel pour s'orienter ?

—La nuit, si, quand il est possible de voir les étoiles. Mais quand la lumière est trop vive, on risque de perdre la vue.

—Ah ! s'exclama-t-il. Les aveugles voient des choses que les autres n'osent pas regarder. Je crois bien que ce sont les hommes les plus courageux de cette planète.

Ne sachant que répondre, je laissai le silence s'installer tandis que la voiture continuait de filer sur la piste tyrannique.

Chapitre 3

Au bout d'un moment, songeant qu'il n'avait pas répondu à ma question par timidité, je revins à la charge.

—Que t'est-il arrivé ? Tu as besoin d'aide ?

Comme il ne disait rien, j'insistai :

—Tu peux me faire confiance. Comment t'appelles-tu et quel est ton problème ?

—Mon problème…

Je me figurai que quelqu'un qui se retrouve à demi inconscient sur le bord de la route au milieu de nulle part a forcément un problème.

Mais après quelques minutes de réflexion, il me surprit en me demandant :

—Qu'est-ce que c'est « un problème » ?

Croyant qu'il plaisantait, je souris.

—C'est quoi un problème ? répéta-t-il.

Surpris par sa réaction, je me dis que je n'avais peut-être pas compris le sens de sa question.

—*Problem, problemo...,* énonçai-je en différentes langues.

—J'ai déjà entendu ce mot, mais qu'est-ce que cela signifie au juste ?

J'essayai en vain de me rappeler la définition qu'en donnait le dictionnaire. Je n'arrivais pas à croire que, dans un monde où les problèmes abondent, un garçon de son âge ne sache pas ce que cela signifiait. Pour finir, voyant qu'il ne désarmait pas, j'improvisai une explication :

—Un problème, c'est comme une porte dont on ne détient pas la clé.

—Et comment fais-tu quand tu éprouves un problème ? voulut savoir mon compagnon de route, de plus en plus curieux.

—Eh bien, tout d'abord, j'essaie de voir si le problème me concerne réellement, s'il m'empêche d'avancer. C'est très important, expliquai-je, car il y a beaucoup de gens qui se mêlent des affaires des autres sans qu'on leur ait demandé quoi que ce soit. Ce faisant, ils perdent leur temps et leur énergie, et empêchent les intéressés de trouver eux-mêmes leurs propres solutions.

Il acquiesça d'un hochement de tête, comme si cela allait de soi.

—Et si le problème te concerne effectivement ? poursuivit-il en se tournant vers moi.

—Dans ce cas, à charge pour toi de trouver la bonne clé et de l'introduire comme il faut dans la serrure.

—Ça n'a pas l'air bien compliqué, conclut-il.

—C'est ce que tu crois. Mais il y en a pourtant qui ne trouvent jamais la clé. Non par manque d'imagination, mais parce qu'ils ne veulent pas s'y reprendre à plusieurs fois et, parfois, ils ne cherchent même pas à essayer. Ils voudraient qu'on leur mette la clé dans la main ou, mieux encore, qu'on ouvre la serrure à leur place.

—Alors qu'ils sont capables de l'ouvrir eux-mêmes ?

—Si tu es convaincu que tu peux le faire, il y a de fortes chances pour que tu y arrives. Mais si tu es persuadé que tu en es incapable, tu n'y arriveras pas.

—Et que se passe-t-il quand on n'arrive pas à ouvrir la porte ?

—Il faut essayer encore et encore, sans quoi on ne réussira jamais à devenir celui qu'on aurait pu être. Et, donc, il est inutile de se mettre en colère, de taper contre la porte comme si elle était responsable de tous nos malheurs. Nous ne devons pas non plus nous résigner à vivre de ce côté-ci de la porte tout en rêvant à ce que nous pourrions trouver de l'autre côté.

—Et est-ce qu'il pourrait y avoir une raison de ne pas ouvrir cette porte ? insista-t-il comme s'il n'était pas satisfait de ma réponse.

—Pas la moindre ! Même si l'être humain est passé maître dans l'art de se justifier. Il invoque le manque d'amour ou d'éducation, les souffrances qu'il a endurées… Il peut même aller jusqu'à se convaincre de ne pas franchir la porte sous prétexte qu'il pourrait y avoir des choses dangereuses de l'autre côté. Ou déclarer cyniquement que ce qui se trouve derrière ne l'intéresse pas… Mais ce ne sont là que des excuses, parce qu'au fond de lui-même, il a peur d'échouer. Plus il tarde à surmonter l'obstacle qui se trouve en travers de son chemin, et plus les difficultés s'accumulent. Ou pour dire les choses plus simplement, plus tu traînes un problème derrière toi comme un boulet, plus il devient lourd à traîner…

Je sentis que l'entêtement de mon jeune compagnon commençait à faiblir, mais l'expression de tristesse dans son regard et sa mine résignée m'incitèrent à continuer :

—Tout cela conduit au malheur. Le chemin de l'épanouissement spirituel et du bonheur exige du courage de notre part et la volonté de grandir. Nous devons être prêts à renoncer à notre petit confort et à affronter les problèmes sans nous décourager, jusqu'au moment où la porte s'ouvre, à notre grande satisfaction, et nous permet de continuer d'avancer.

—Et comment puis-je faire pour trouver la bonne clé ? demanda-t-il.

À cet instant précis, je dus ralentir pour garder mes distances avec une bétaillère qui roulait devant nous. Je jetai un coup d'œil à la jauge à essence et réalisai que j'allais devoir ralentir mon allure si je voulais atteindre la prochaine station-service. Ma voiture n'était pas équipée d'un de ces systèmes modernes qui, selon la quantité de carburant restant dans le réservoir, vous indiquent combien de kilomètres vous pouvez parcourir. Je me consolai en songeant que le camion qui me devançait pourrait me dépanner en cas de besoin, et le dépassai en le gratifiant d'un grand sourire, auquel il répondit par un coup de klaxon amical, comme c'est la coutume en Patagonie, où le simple fait de croiser un autre être humain sur les routes quasi désertes vous procure un sentiment de joie.

—Mais comment puis-je trouver la bonne clé ? réitéra le garçon.

—En procédant exactement comme tu le fais ! rétorquai-je, les nerfs légèrement tendus par la fatigue du voyage. Je veux dire que c'est en posant des questions qu'on finit par trouver la réponse. Et si tu essaies l'une après l'autre toutes les clés dont tu disposes, la porte finira par s'ouvrir.

Et si tu continues à me bombarder de questions, tu vas me rendre chèvre », ajoutai-je en moi-même.

Chapitre 4

L'ayant moi-même encouragé à poser des questions, je songeai que le garçon n'allait pas me laisser de répit tant qu'il n'aurait pas obtenu toutes les réponses qu'il cherchait. Cependant, j'en vins malgré moi à considérer notre étrange conversation comme un jeu, et je sentis ma fatigue se dissiper comme par magie. Je me sentais prêt à laisser libre cours à mon imagination.

— Tu as dit que la clé ne suffisait pas, reprit-il en se calant confortablement dans son siège, et qu'il fallait trouver le moyen de l'introduire dans la serrure.

— Tout à fait ! La meilleure façon de résoudre un problème, c'est de le relever comme un défi.

Certes, il y aura toujours un obstacle, mais, abordé sous un jour positif, il va aiguiser notre intelligence et ouvrir la voie à des solutions. C'est pourquoi nous devrions remercier la Providence lorsqu'elle nous met en présence de difficultés.

—Remercier la Providence ? répéta-t-il, incrédule.

—Oui, parce qu'elle nous aide ainsi à grandir et à progresser. Comme le vent, qui, en renforçant les racines de l'arbre, le rend plus robuste. Si tu contemples les obstacles de cette manière, tu ne perdras plus de temps à gémir sur ton sort et tu auras une vie bien remplie.

Voyant que mon passager m'écoutait avec attention, j'ajoutai sans transition :

—Il y a autre chose que tu peux faire, une fois que tu as identifié un problème, c'est le considérer sous différents angles ou le fractionner en problèmes plus petits.

—Oui, une fois, j'ai dû surmonter une difficulté importante, déclara le garçon, pensif.

—Laquelle ? demandai-je, ma curiosité soudain piquée.

—Comme je ne pouvais pas atteindre la Terre du premier coup, j'ai dû fractionner la distance et faire halte sur d'autres planètes, expliqua-t-il à ma grande stupeur.

Soit mon jeune compagnon avait perdu la raison, soit il avait une imagination débordante.

Après un long silence, il ajouta :

—Au cours d'un de mes voyages, j'ai fait la connaissance de quelqu'un qui avait un problème sans solution.

—Vraiment ? dis-je distraitement.

—C'était un homme qui buvait pour oublier.

—Pour oublier quoi ?

—Qu'il avait honte.

—Honte de quoi ?

—De boire, conclut le garçon.

—Le sentiment de culpabilité nous paralyse et nous empêche de résoudre nos problèmes. Assumer nos responsabilités nous aide à accomplir des actions plus positives, pour compenser, dans la mesure du possible, les dommages que nous avons pu causer. Ou simplement pour continuer d'avancer, et ne pas répéter les actes qui font que nous nous sentons coupables.

—Mais, quand on a commis un acte répréhensible, c'est inévitable, non ?

—La culpabilité n'a aidé en rien l'homme dont tu parles. C'est une punition inutile qu'il s'inflige à lui-même et qui le prive de son énergie, mais qu'il continue de s'infliger parce qu'il n'a plus d'amour-propre. Lui as-tu demandé pourquoi il avait commencé à boire ?

—Non…, répondit le garçon, hésitant.

Le voyant sourire, je compris qu'il me serait plus facile de découvrir la tombe d'un pharaon inconnu que de deviner les questions qui venaient à l'esprit de mon jeune compagnon.

—La solitude, le manque d'amour, la frustration… J'ignore quelle en était la cause, mais il ne fait aucun doute que la dépendance à la boisson est le résultat d'autre chose. C'est un triste exemple des effets dévastateurs de l'incapacité des êtres à surmonter leurs difficultés.

—Je m'en veux de l'avoir jugé ! se repentit le garçon, désolé. Si je lui avais témoigné de la compassion, il aurait peut-être trouvé la clé dont il avait besoin pour ouvrir la porte qu'il n'a jamais pu franchir.

—La vie nous semblerait infiniment plus positive si nous arrêtions de nous mentir à nous-mêmes et aux autres, de nous plaindre pour un

oui ou pour un non, de nous demander ce que nous avons fait pour mériter les difficultés que nous rencontrons, et si nous aurions pu les éviter. Il en irait tout autrement si nous nous servions de notre capacité à résoudre les problèmes et à accepter ce qui ne peut pas être changé. Selon un vieux dicton oriental : « Mieux vaut allumer une bougie que de maudire l'obscurité. »

Voyant que mon compagnon m'écoutait avec intérêt, je continuai de méditer à voix haute :

—Parfois, tu remarqueras qu'il te suffit de regarder les choses sous un angle différent pour que l'obstacle disparaisse, car bien souvent la difficulté se trouve en nous, et dans la façon que nous avons de contempler le monde sans voir plus loin que le bout de notre nez.

—La difficulté est en nous ? répéta-t-il en abaissant les yeux vers son propre nombril.

—La plupart du temps, oui, répondis-je. Mais la solution aussi. Le monde des pensées et des émotions traîne derrière lui le monde tangible comme un boulet. Ainsi, il y a de fortes chances pour que les choses se passent comme nous les avions imaginées. Dans une certaine mesure, nous façonnons nous-mêmes la réalité qui nous entoure, tels de petits monarques régnant sur leur entourage.

—Mais comment est-ce possible ? s'étonna-t-il. Tu veux dire que la réalité n'est pas la même pour tous sur cette planète ?

—Disons que la réalité absolue est la même pour tous, mais que nous n'en percevons qu'une partie : celle que notre conscience capte en fonction de ses capacités sensorielles et de son degré d'évolution. En ne laissant filtrer de la réalité que quelques idées, connaissances ou personnes dont nous partageons ou non les opinions, nous ne faisons en somme que contempler le reflet de notre propre image.

—Tu veux dire que les gens voient non pas la réalité, mais la perception qu'ils ont d'eux-mêmes à travers cette réalité ?

—C'est évident. Songe aux formidables limitations de nos sens. Nous avons inventé des machines capables de capter des ondes de fréquence que notre ouïe ne perçoit pas, et d'autres, comme les microscopes et les télescopes, qui nous permettent de décupler nos capacités visuelles. Pour autant, nous ne réalisons pas toujours que l'observation de nos actes et des événements qui nous affectent est la meilleure façon d'apprendre à nous connaître nous-mêmes. C'est comme si nous n'étions pas syntonisés avec le monde qui nous entoure.

—Pourquoi dis-tu les choses d'une façon aussi compliquée ? bougonna-t-il.

—C'est un peu comme si l'avarice ne pouvait affecter que les gens avares, dès lors qu'elle ne compte pas pour les personnes généreuses, expliquai-je. De la même façon, tous ceux qui se battent, à tort ou à raison, contre des voisins ou des parents malveillants, des chefs injustes, ou contre la société en général ne se battent en réalité que contre eux-mêmes, dis-je pour conclure mon raisonnement.

—C'est comme essayer de se battre contre le reflet d'une grimace dans un miroir ? s'interrogea le garçon, l'air grave.

—Le problème de ces gens, c'est qu'ils ne comprennent pas qu'en se querellant avec leur entourage, ils sont condamnés à l'échec. L'essentiel de la souffrance humaine provient de la résistance aux contingences, des frictions entre les êtres humains ou du refus des lois de l'univers. Le sage est en harmonie avec la réalité, il se rend compte que les circonstances, qu'elles lui plaisent ou non, sont ce qu'elles sont. Il sait, par ailleurs, qu'avant de pouvoir améliorer le monde, il convient de s'améliorer soi-même.

—Tu veux dire que tout ce qui existe est bon de par le simple fait d'exister ? Mais pourquoi dis-tu les choses d'une façon aussi compliquée ? S'il te plaît, donne-moi un exemple que je puisse comprendre.

—Eh bien, quand tu pousses contre un mur, tu sens que le mur résiste avec la même force. Si tu pousses encore plus fort, le mur n'en résistera que davantage. La solution consiste donc à ôter les mains du mur. Ainsi, la résistance disparaîtra d'elle-même. Celui qui reconnaît au mur le droit d'exister n'éprouve plus le besoin de le pousser et n'est pas chagriné par son existence.

—Ça, c'est bien vrai, approuva-t-il. Mais si nous ne connaissons qu'une fraction de la réalité, est-ce que cela veut dire que chacun vit dans son propre monde et qu'il y a autant de mondes que de personnes ?

—Peut-être comprendras-tu mieux en te représentant les pièces d'un puzzle. Toutes ensemble, elles forment une réalité plus vaste que chacune d'elles prise séparément. Mais ce qu'il y a de merveilleux, c'est que chaque personne est capable de changer et de transformer le monde dans la limite de ses propres perceptions, sans avoir à se battre et sans l'intervention de pouvoirs extérieurs.

—Cette fois, je comprends ce que tu veux dire ! s'écria-t-il. Si le miroir me renvoie le reflet d'un visage grincheux, la seule chose à faire, c'est sourire.

—Exactement. Et de la même façon, si tu as un voisin hargneux, efforce-toi de te montrer aimable. Pour avoir un bon fils, il faut

commencer par être un bon père, et inverse-
ment. Et cela s'applique également aux maris
et aux femmes, aux patrons et aux employés...
La seule façon de changer le monde, c'est de
changer nous-mêmes.

Chapitre 5

Nous restâmes un moment silencieux, perdus dans la contemplation du paysage. Un vent incessant rongeait le sommet des montagnes, ne laissant que peu de répit aux taillis. Au loin, sur une colline tapissée de végétation, on apercevait des layons, comme des rubans rouges, se frayant un chemin jusque dans la vallée.

Il me vint une idée bizarre que j'exprimai à voix haute :

—Si ça se trouve, cet univers a été créé à l'image d'un esprit supérieur qui voulait apprendre à se connaître lui-même.

—Dans ce cas, pourquoi y aurait-il des habitants sur cette planète ? Ils sont libres d'aller où bon leur semble, ou sont-ils obligés, comme toi, de suivre la route ?

—Vivre c'est apprendre, affirmai-je. Tout ce qui arrive a un sens pour celui qui le vit. Plus notre conscience se développe et plus il nous est facile d'extraire le sens des événements qui jalonnent notre existence. Parfois, la douleur et la maladie nous apportent une plus grande richesse spirituelle. C'est pourquoi, si grande que soit ta chance, tu devras en remercier la vie, car c'est elle qui t'offre la possibilité d'évoluer. Le destin trouve toujours un moyen de nous enseigner ce à quoi nous résistons le plus, ce que nous refusons d'accepter.

—Le destin, c'est quoi ? Tu en parles comme d'un maître d'école, releva le garçon.

—C'est le chemin que chacun de nous emprunte...

—Est-il possible de le dévier ? demanda-t-il, inquiet.

—Oui, répondis-je, sachant pourtant pertinemment que, même en lisant tous les livres de la Terre, nous ne trouverions jamais de réponse définitive à cette question.

Comme il avait l'air perplexe, j'imaginai une comparaison :

—Supposons que tu es une rivière qui coule inexorablement. Tu décides de contourner les montagnes pour te frayer plus facilement un passage. Les difficultés sont comme les pierres que tu trouves sur ton chemin. Si tu les traînes avec toi, elles finissent par former un barrage qui t'empêche d'avancer. En revanche, si tu les contournes l'une après l'autre, ton courant sera constant, et tes eaux, cristallines ; comme si le frottement contre la roche les rendait plus brillantes. Il se peut qu'à un moment donné, tu te sentes indigne d'une telle pureté et que tu t'entêtes à rendre tes eaux troubles. Peut-être en devenant paresseux et en ralentissant ta course quand tu traverses les prairies, jusqu'à te perdre dans l'immensité de la plaine. Peut-être en te montrant exagérément intrépide, et en te jetant du haut d'une falaise pour former une cascade, ou en t'engouffrant dans des gorges profondes à l'intérieur desquelles tu finiras par te perdre. À moins que ton âme ne s'endurcisse jusqu'à devenir de glace, ou n'aille se perdre parmi les mirages du désert et se tarisse.

—Si j'étais une rivière, je n'aimerais pas me transformer en glace ni mourir dans le désert, confessa-t-il.

—Dans ce cas, tu dois conserver ta limpidité. Sois généreux et tu fertiliseras les terres autour de toi, renouvelle-toi et tu apaiseras la soif partout où tu passeras, aie confiance en tes idéaux et tu inspireras les autres, prends conscience et tu éveilleras les consciences. Aie un but dans la vie et tu accompliras ton destin.

Je cessai de parler, et nos regards se perdirent dans l'immensité des pâturages, s'élevant lentement jusqu'aux fantômes bleus de la cordillère.

Chapitre 6

L'image de la rivière eut l'air de plaire à mon passager, car il resta un long moment à méditer.

Soudain, je réalisai que je roulais depuis des heures en compagnie d'un être dont je ne connaissais absolument rien. Mais si forte qu'ait été mon envie d'en savoir plus sur ce surprenant garçon, je savais que les confidences viendraient toutes seules et plus vite si je ne cherchais pas à les lui arracher. Il en va des gens comme des huîtres : il n'y a rien à faire sinon attendre patiemment qu'elles s'ouvrent pour nous offrir la perle qu'elles protègent.

Cependant, pas même un maître dans l'art de la prédiction n'aurait pu imaginer la question qui résonna peu après à mes oreilles :

—Et les moutons, ils ont des problèmes, eux aussi ?

—Comment ?

—Les moutons, ils ont des problèmes, eux aussi ? répéta calmement le garçon, comme s'il avait affaire à quelqu'un qui ne comprend pas si on ne lui répète pas les choses.

Heureusement que je roulais lentement pour économiser l'essence, sans quoi nous aurions probablement atterri dans le fossé, tant sa question me prit de court. Voyant qu'il était on ne peut plus sérieux, je répondis en toute franchise :

—Sincèrement, je n'en sais rien. Pour en avoir le cœur net, il faudrait leur poser la question, tu ne crois pas ?

À mon grand étonnement, il acquiesça, apparemment satisfait, sinon de la qualité de ma réponse, du moins du fait qu'il était en présence d'un adulte capable de reconnaître son ignorance. Il ajouta :

—Tu veux dire que, pour connaître les problèmes d'une fleur, il faudrait en être une soi-même ?

N'étant pas disposé à passer toute la journée à attendre la prochaine offensive de mon interlocuteur, je saisis au vol l'occasion qui m'était offerte de lancer une vigoureuse contre-attaque :

—Tu te trompes, mon cher ami. Il n'est pas besoin d'être une fleur pour savoir que les fleurs ont des problèmes : étant trop belles, elles sont sans défense. Même si certaines ont des épines pour se protéger de ceux qui, attirés par leur beauté, cherchent à les cueillir pour les mettre dans un vase.

Il me lança un regard horrifié et je crus qu'il allait s'évanouir, mais il se ressaisit et demanda :

—Tu veux dire que leurs épines ne suffisent pas pour les protéger ?

Son regard suppliant appelait une réponse affirmative, mais moi, certain de détenir la vérité, je rétorquai avec une suffisance implacable :

—Non, leurs épines ne suffisent pas. C'est justement leur problème.

L'expression consternée de mon jeune compagnon m'interpella. Plus tard, à mon grand désarroi, je découvris qu'il s'agissait pour lui d'une question vitale.

Parfois, sans nous en rendre compte, nous jouons avec les sentiments des enfants et détruisons des choses qui leur sont infiniment précieuses.

Il ne servait à rien d'ajouter que les fleurs avaient réussi malgré tout à survivre pendant des milliers d'années et qu'elles étaient naturellement robustes. Car la seule fleur qu'il voulait sauver était unique au monde, et lorsque vous perdez une telle fleur, vous aurez beau lire tous les livres de jardinage de l'univers, vous resterez inconsolable.

—Peut-être que, si elles renonçaient à être belles et qu'elles se cachaient, elles n'auraient pas de problèmes... mais alors, ce ne seraient plus vraiment des fleurs, dit-il comme pour lui-même. En fait, elles ont besoin d'être admirées pour être heureuses. Leur problème, c'est qu'elles sont coquettes.

La curiosité qui animait ses yeux fit soudain place à de la tristesse lorsqu'il déclara :

—De toute façon, les problèmes des moutons et des fleurs ne m'intéressent plus.

Après un moment de silence, il ajouta :

—Je cherche quelqu'un que je n'ai pas vu depuis longtemps : il te ressemble un peu, mais il conduit une machine volante.

—Tu veux dire un avion ?

—Oui, c'est ça, un avion.

—Et tu sais où il vit ? demandai-je en passant mentalement en revue les clubs aéronautiques qui se trouvaient dans les environs.

—Non, soupira-t-il. Je n'aurais jamais imaginé que les gens pouvaient vivre aussi éloignés les uns des autres.

Voyant ma perplexité, il expliqua :

—La Terre est très grande. Et ma planète à moi est toute petite.

—Et comment comptes-tu le retrouver ? le questionnai-je en essayant de me remémorer toutes les enquêtes policières que j'avais lues dans ma jeunesse. Mais sa réponse était tellement inattendue qu'elle aurait laissé sans voix le grand Hercule Poirot en personne.

—Il m'a fait cadeau d'étoiles qui rient, dit-il, tandis que ses yeux se remplissaient de larmes.

Au même instant, et alors que j'essayais de me représenter l'aviateur à qui les étoiles souriaient, je compris qui était mon compagnon de route. Mais bien sûr ! Le mouton, la fleur, la cape bleue… J'aurais dû y penser avant, mais j'étais ailleurs, perdu sur mon propre petit astéroïde…

Chapitre 7

Comme par magie, et alors que le moteur était en train d'engloutir les dernières gouttes du réservoir, une pompe à essence apparut brusquement au loin. Je poussai un soupir de soulagement. Une fois le plein fait et les niveaux d'eau et d'huile vérifiés, j'insistai pour que mon jeune compagnon aille faire un brin de toilette aux lavabos.

Quand nous reprîmes la route, je demandai de but en blanc :

—C'est lui qui t'a fait cadeau du mouton, n'est-ce pas ?

Nous savions tous les deux à quoi je me référais, mais mon cœur se serra quand il répondit :

—C'est ce que je croyais …

—Que veux-tu dire ? l'invitai-je à poursuivre.

La mélancolie, l'incrédulité, la colère, la tristesse envahirent ses traits. Puis ses yeux limpides s'embrasèrent, peut-être sous l'effet de l'espérance qui l'avait mené jusqu'ici.

Quand il prit de nouveau la parole, il semblait résigné :

—C'est une histoire triste. Je ne pense pas qu'elle t'intéresserait.

—Mais si ! m'écriai-je, avec une telle véhémence que je craignis qu'il ne me demande pourquoi ce mouton que je n'avais jamais vu m'intéressait tant.

Mais, à mon grand soulagement, le jeune prince entama son récit :

Un matin qu'il était occupé à nettoyer et mettre en ordre sa planète (« C'est important de bien soigner sa planète, tu sais ? »), une plante qu'il allait arracher lui dit :

—Si tu fais ça, tu vas commettre encore une erreur.

—Comment cela ? demanda-t-il, songeant qu'il s'agissait peut-être d'une ruse.

—Tu vas te priver d'une plante intelligente et qui pourrait t'être utile. D'ailleurs, en quoi pourrais-je te nuire dès lors que je suis à ta merci et que tu peux m'arracher à tout moment ? Quelque chose me dit que tu vas avoir besoin de moi. Si tu veux bien, tu seras mon maître, et moi, ta servante.

Hésitant, le jeune prince voulut savoir :

—Qu'entends-tu par « commettre encore une erreur » ?

—C'est tout simple, mon maître. Tu crois qu'il y a un mouton à l'intérieur de la caisse, n'est-ce pas ?

—Bien sûr ! rétorqua le jeune prince, indigné. C'est un joli petit mouton tout blanc dont mon ami sur Terre m'a fait cadeau. Malheureusement, et parce qu'il était triste quand j'ai dû partir, mon ami a oublié de me donner sa muselière et sa corde. C'est pourquoi je ne peux pas le sortir de sa caisse, car il risquerait de s'échapper et de manger la fleur.

Quand il se baissa de nouveau pour l'arracher, la plante le supplia :

—Maître, au lieu d'agir sur un coup de tête, laisse-moi d'abord te montrer quelque chose.

Et sur ces mots, la plante déploya sa corolle, révélant l'image d'un mouton aux côtés d'un garçon. Le dessin était si parfait que le jeune prince n'en croyait pas ses yeux.

—Ce n'est pas un dessin, précisa-t-elle, mais une photographie. C'est une reproduction de la réalité telle qu'elle est vraiment. Comme tu peux le voir, le mouton arrive presque à la poitrine de l'enfant. Si tu m'avais consultée avant, je t'aurais dit que même un mouton qui vient de naître ne pourrait pas tenir dans une caisse de vingt centimètres de côté.

Puis, prenant un air compatissant, la plante lui décocha un trait qui l'atteignit en plein cœur :

—Je suis navrée, mon maître, mais en tant que servante, il est de mon devoir de te mettre en garde contre ce prétendu ami qui a abusé de ta confiance, car, en réalité, la caisse est vide.

Le jeune prince sentit la terre trembler sous ses pieds, comme si son monde s'effondrait. Ce fut le jour le plus triste de sa vie, et après cela, plus aucun coucher de soleil ne put le consoler...

Chapitre 8

En le voyant fondre en larmes, je dus faire un effort pour ne pas quitter des yeux la bande d'asphalte gris sombre qui filait vers l'horizon. Le jeune prince poursuivit sur le même ton résigné :

—La plante m'a expliqué des choses que je n'avais pas comprises. Elle m'a mis en garde contre les ruses perfides des fleurs et la félonie des hommes. Grâce à elle, je me suis initié aux sciences naturelles, à la physique et à la chimie, et même aux statistiques et à l'économie. J'ai appris à jouer à des jeux virtuels en me servant d'une de ses feuilles qui s'allumait comme un écran. Mais, sans mon mouton, les journées me paraissaient interminables, et les soirées, sinistres.

Une nuit, le jeune prince fit un rêve tellement réaliste qu'il en fut bouleversé. Il était avec son ami pilote en train de survoler les splendides paysages de la Terre : les montagnes majestueuses et les vallées verdoyantes où coulaient des rivières cristallines dans lesquelles se reflétait par instants l'ombre de l'avion ; les prairies pareilles à des tapis de fleurs, protégées du vent par d'épaisses forêts. Comme ils volaient à basse altitude, ils pouvaient distinguer les cerfs, les chevaux, les chèvres, les lièvres, les renards qui s'ébattaient dans la campagne, et les truites qui bondissaient dans les torrents. Le jeune garçon n'avait pas besoin de poser de questions à son ami, et ce dernier n'avait pas besoin de lui donner d'explications.

Tous deux se contentaient de contempler les merveilles de la nature en souriant béatement. Jamais il ne s'était senti aussi heureux. Soudain, son ami vira de bord pour prendre la direction d'une colline herbeuse.

L'atterrissage se fit en douceur, comme si la Terre s'était ameublie exprès pour les accueillir. Une fois posés, l'aviateur emmena le garçon sur le versant opposé de la colline, où un grand troupeau de brebis et d'agneaux était en train de paître.

—Ils sont tout à toi, lui dit-il. Je ne sais pas combien il y en a, car je ne les ai pas comptés. J'ai commencé à les élever le jour où tu es parti, et depuis lors, le troupeau a grandi autant que l'affection que je te porte.

À l'instant où le jeune prince allait s'approcher de son ami pour le serrer dans ses bras, il se réveilla et se retrouva de nouveau sur sa planète obscure et silencieuse. Il fondit en larmes tandis qu'une petite voix intérieure l'exhortait :

—Pars à la recherche de ton ami, laisse-le s'expliquer, et ainsi, tu pourras voir à nouveau les étoiles…

Le lendemain matin tôt, il alla prendre congé de la fleur. Ces derniers temps, elle s'était montrée distante, et il lui trouva l'air pâle, comme si le manque d'attention l'avait flétrie.

—Adieu, je m'en vais, annonça le jeune prince, mais elle ne répondit pas.

Il la caressa doucement, pourtant elle n'eut aucune réaction, et il songea que plus rien ne le retenait ici désormais.

Des pousses de baobab menaçaient d'envahir le sentier, et la terre commençait à trembler – sans doute parce qu'il avait oublié de ramoner les volcans. Mais plus rien de tout cela n'avait d'importance. Comme il s'apprêtait à partir, il passa devant la plante sauvage.

—Où vas-tu d'aussi bonne heure ? l'interpella-t-elle.

Le jeune prince ne répondit rien, pour ne pas l'affoler, mais l'expression de son regard lui révéla ce qu'elle voulait savoir.

—Tu ne peux pas t'en aller ! Tu es mon maître ! s'écria-t-elle.

—À partir de maintenant, tu es libre, lui dit-il.

—Tu sais bien que je ne peux pas vivre en liberté. J'ai besoin de quelqu'un auprès de qui me rendre utile et tu as besoin de moi, insista-t-elle.

—Si je ne pouvais pas vivre sans toi, c'est moi qui serais ton esclave, et toi, ma maîtresse, lui fit remarquer le jeune prince.

—Je vais mourir si tu m'abandonnes. Il n'y a que toi qui puisses arracher les mauvaises herbes, et, si tu ne le fais pas, elles vont envahir toute la planète, l'implora-t-elle.

Le garçon hésita un court instant, mais sa décision était prise. Il allait écouter la voix de son rêve.

—Si tu veux venir avec moi, je vais devoir t'arracher, lui dit-il en l'agrippant par la tige.

—Non, non ! protesta-t-elle.

—Dans ce cas, adieu.

Et il tourna les talons.

—C'est ainsi que j'ai entrepris mon voyage, m'expliqua le jeune prince, et que j'ai atteint cet endroit solitaire. Mais ici, les animaux et les fleurs ne me parlent plus comme lorsque j'étais enfant, et je n'ai rencontré aucun être humain qui puisse m'indiquer le chemin. À bout de force et ne sachant où aller, je me suis effondré là où tu m'as trouvé...

À l'instant même où il prononçait ces mots, j'eus une révélation. Je compris que nous étions tous voués à entreprendre un voyage difficile. Mais, si long et ardu soit-il, il était infiniment plus gratifiant que tout autre.

Chapitre 9

— Comme tu vois, ce n'est pas une histoire réjouissante, et je ne crois pas que tu puisses faire grand-chose pour m'aider, conclut le garçon.

—C'est une histoire triste, concédai-je. Mais tu as tort de penser que je ne peux pas t'aider. Il y a des tas de choses que je pourrais faire, au contraire !

—Tu ne comprends donc pas que j'ai tout perdu ? s'indigna le jeune prince, subitement sur la défensive. Un ami qui pouvait faire sourire les étoiles, le mouton qui me tenait compagnie chaque après-midi, et une fleur qui égayait ma vie avec ses jeux et sa beauté. Je ne pourrai plus jamais voir la plante sauvage qui me protégeait et me conseillait ni ma petite planète, qui finira par exploser à cause des volcans... Et tu dis pouvoir m'aider !

La colère avait redonné un peu de couleur à ses joues.

—Je comprends, dis-je d'un ton assuré, mais je peux t'aider à retrouver ce que tu as perdu, et même plus. Parce qu'en fin de compte, ce que tu as perdu, c'est ta joie de vivre, l'essence même du bonheur... Mais je ne pourrai le faire que si tu m'y autorises et que tu es prêt à t'aider toi-même.

Voyant son air dubitatif, je poursuivis :

—C'est la première difficulté importante à laquelle tu es confronté dans ta vie et tu vas devoir y apporter une solution. Mais sache que, même si tu te sens accablé pour l'instant, ce n'est pas la fin du monde. Tu as la volonté de surmonter cette épreuve, ainsi que l'exigent ta nature spirituelle et ton instinct animal.

—Comment peux-tu en être aussi sûr ? Moi, je ne sens rien de tout cela.

Content d'avoir réussi à capter son attention, je répondis :

—Eh bien, tout d'abord, tu as eu le courage d'abandonner l'apparente sécurité de ta planète pour partir à la recherche d'une solution. Ensuite, bien que tu aies été à bout de force, tu as réussi à te traîner jusqu'au bord de la route afin que quelqu'un puisse te venir en aide. Si tu t'étais laissé tomber au milieu de la chaussée ou d'un champ, tu serais probablement mort à l'heure qu'il est. Et, troisièmement, lors de notre première conversation, nous avons débattu des problèmes et des difficultés de l'existence, ce qui signifie que tu cherches à glaner les informations qui t'aideront à sortir de l'ornière dans laquelle tu te retrouves piégé.

Réalisant que j'avais réussi à gagner de nouveau sa confiance, je déclarai :

—Je te propose que nous examinions ensemble les difficultés auxquelles tu te heurtes. Si je dis « difficultés », c'est parce que je sais que tu peux les surmonter. Et, que tu le croies ou non, tu détiens la clé pour cela.

Sa réaction fut immédiate.

—Je menais une vie paisible et heureuse jusqu'à ce que je découvre que mon ami m'avait menti. C'est cela et rien d'autre qui est à l'origine de tous mes malheurs !

—Tu fais comme si tu étais étranger au problème et tu en rejettes la faute sur quelqu'un d'autre. Ce n'est pas la meilleure façon de le résoudre, dis-je calmement. Je vais te montrer, cher ami, que ledit mensonge n'en était pas un ou, tout au moins, pas au sens où tu l'entends. Mais supposons pour le moment que ton ami ait cherché à te duper. Cela justifierait certainement ta colère et ta désillusion, et même ton chagrin. Mais ce n'est pas une raison pour te priver de la beauté de ta fleur, de la poésie des couchers de soleil et du rire des étoiles. Si le supposé mensonge de ton ami a eu un effet dévastateur, c'est parce que, jusqu'ici, ta vie reposait sur des bases trop fragiles. Sans doute que le mouton n'arrivait plus à te distraire, et que la fleur, trop centrée sur elle-même, ne parvenait plus à te réconforter. Il est évident que tes tâches quotidiennes ne suffisaient plus à satisfaire ton âme et que tu ne cultivais pas un art ou un passe-temps qui aurait pu te servir de refuge. Dès lors, ton existence était devenue insipide, et la seule chose qui t'aidait à tenir était la nostalgie que tu éprouvais pour cet ami absent. Mais dès l'instant où ce soutien s'est effondré, tout le reste a suivi. Ton monde était déjà vide, tout comme la fleur était déjà fanée avant même que tu ne t'en ailles. Le supposé mensonge de ton ami a été le déclencheur, mais pas la cause de ta situation actuelle. Plus vite tu le comprendras et plus vite tu trouveras une solution.

Le sentant tiraillé intérieurement, je m'empressai d'ajouter :

—Si tu avais été plus sûr de toi et de tes sentiments, la plante sauvage n'aurait pas réussi à se faufiler aussi facilement à l'intérieur de la brèche qu'elle a réussi à ouvrir dans ton cœur, et elle n'aurait pas eu une influence aussi pernicieuse sur ta vie.

Le jeune prince allait protester, sans doute pour prendre la défense de la plante, mais j'enchaînai aussitôt :

—Il nous arrive de penser que celui qui dénonce est meilleur que celui qui nous a fait cadeau d'un rêve. Mais pourquoi ?

Je profitai de la perplexité dans laquelle ma question l'avait plongé pour poursuivre :

—Ne fais pas confiance à ceux qui détruisent tes illusions sous prétexte de te rendre service. Bien souvent, ils n'ont rien à te proposer pour les remplacer !

Parfois, je me demande si l'antique coutume consistant à exécuter le porteur de mauvaises nouvelles n'était pas, en fin de compte, une bonne chose. Avec les années, j'ai découvert que, dans la majorité des cas, les nouvelles en question étaient erronées ou que l'intention du messager n'était pas celle qu'il proclamait.

—Tôt ou tard, les rêves cessent d'être des rêves, ajoutai-je. Mais je puis t'assurer que ton ami t'a fait cadeau du plus beau mouton du monde, celui que tu imaginais comme tu voulais qu'il soit et le seul que tu pouvais ramener sur ta petite planète. N'as-tu pas profité de sa présence quand tu contemplais les couchers de soleil ? Ne t'empressais-tu pas d'aller t'asseoir à ses côtés, le soir, pour que vous puissiez vous tenir mutuellement compagnie ? N'as-tu pas pensé qu'il t'appartenait parce que tu l'avais apprivoisé, et réciproquement ? Il était bien plus vrai et vivant que celui de la photographie – qui n'était qu'un mouton comme tant d'autres, alors que ton mouton à toi, celui qui se trouvait dans la caisse, était unique au monde.

Comme je disais cela, je songeai que je n'emporte jamais la photo des êtres qui me sont chers quand je pars en voyage, pour la bonne et simple raison que l'image d'eux que je porte dans mon cœur est bien plus vivace.

Lorsque je me tournai vers mon jeune compagnon, il avait des larmes plein les yeux, comme s'il s'était retenu de pleurer pendant très longtemps.

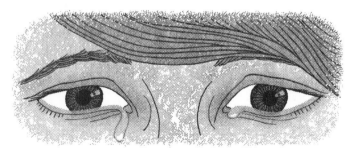

—Merci, murmura-t-il.

Puis, pris d'une soudaine envie de dormir, il laissa tomber sa tête sur mon épaule et glissa doucement dans le sommeil.

Chapitre 10

Nous avions presque atteint l'endroit où j'avais prévu de passer la nuit. Bien que la route ait été toujours aussi déserte, on apercevait çà et là des signes de présence humaine : une haie de peupliers blancs protégeant un verger du vent, quelques cabanes isolées, des enclos à brebis.

Contrairement aux couchers de soleil très brefs de la planète du jeune prince, le crépuscule en Patagonie est lent et silencieux, et la moitié du ciel se teinte de rose, de pourpre et de mauve. Ce soir-là, le spectacle était si grandiose que je ne pus résister à l'envie de réveiller mon compagnon pour qu'il puisse l'admirer.

—Regarde comme c'est beau, lui dis-je en quittant un instant la route des yeux pour lui montrer l'horizon.

—Attention !

Trop tard. Quelque chose percuta violemment l'avant du véhicule, qui fit une embardée, et quand je jetai un coup d'œil dans le rétroviseur, j'aperçus un animal blanc étendu sur l'asphalte ; sans doute une brebis. Je m'arrêtai et descendis de voiture pour inspecter la carrosserie. Le jeune prince me décocha un regard incrédule, puis s'élança vers l'animal blessé pour lui porter secours. Je lui criai :

—C'est inutile. Après un choc pareil, il est certainement mort.

Mais le garçon me cria en retour :

—Aujourd'hui, c'est toi-même qui m'as appris qu'il y avait toujours quelque chose à faire !

Je réalisai alors une chose : j'avais le cœur aussi dur que le morceau de tôle froissée que j'étais en train d'inspecter.

Légèrement honteux, je filai rejoindre le garçon, qui caressait un gros chien blanc gémissant, la tête posée sur les genoux du jeune prince.

Au même instant, un homme de forte corpulence sortit d'une cabane voisine et se dirigea vers nous, la mine sombre et l'air menaçant. J'en déduisis que ce devait être le propriétaire du chien et songeai qu'il était plus prudent de battre en retraite pour éviter une discussion inutile. Mais lorsque je dis à mon jeune ami qu'il valait mieux partir, il ne bougea pas et continua de caresser l'animal mourant. L'homme avançait toujours dans notre direction. Le mieux était de lui proposer un dédommagement, songeai-je. Et quand il nous eut rattrapés, je sortis mon portefeuille en bredouillant de vagues excuses. Mais il eut une moue dégoûtée et m'intima de ne pas bouger, de sorte que nous restâmes tous les trois sans rien dire pendant de longues minutes. Encore aujourd'hui, l'image de ce chien agonisant reste gravée dans ma mémoire. Mon nouvel ami avait raison. Bien sûr que nous pouvions faire quelque chose ! Apaisé par les caresses du jeune prince, l'énorme chien blanc commençait à se détendre : il ne se sentait plus seul. La pauvre bête ferma d'abord l'œil gauche, puis l'œil droit. Puis elle fut prise d'un spasme qui lui traversa tout le corps, et elle cessa complètement de bouger.

Lorsque le garçon réalisa que la vie l'avait quittée, il tourna pour la première fois ses yeux pleins de larmes vers son maître. Avec une douceur inattendue, ce dernier posa sa grosse main sur les cheveux blonds de l'enfant, puis, dégageant le chien de son étreinte, il le prit dans ses bras.

—Viens, dit-il à mon compagnon de route.

Comme je m'apprêtais à les suivre, il m'arrêta d'un geste :

—Pas vous.

Il ajouta pour me rassurer :

—Ne vous en faites pas. Ce genre de choses ne se règle pas avec de l'argent.

Chapitre 11

Je me sentais incompris et blessé dans mon amour-propre, car j'avais réagi comme l'aurait fait tout un chacun dans une société où l'indifférence est monnaie courante. S'ils avaient été à ma place, la plupart des automobilistes ne se seraient même pas arrêtés ou, s'ils l'avaient fait, au lieu de présenter leurs excuses au maître et de lui proposer de le dédommager, ils lui auraient reproché d'avoir laissé son chien sans surveillance, au risque de provoquer un accident de la circulation. Bien souvent, dans pareille situation, nous réprimons nos bons sentiments pour nous laisser guider par la peur et la défiance. Nous sommes condamnés (ou bénis) par le fait que tous les êtres humains sont liés les uns aux autres. Tant que l'un de nous souffrira, nous ne pourrons pas être tout à fait heureux. Rien dans ce monde ne nous est indifférent, ni la souffrance ni la joie. Et plus on a connu la souffrance, plus on savoure son bonheur. C'est pourquoi nous devons laisser parler notre cœur, au lieu de nous comporter comme des étrangers les uns envers les autres !

Le soleil sombrait majestueusement à l'horizon lorsque je vis revenir le jeune prince. Il semblait porter un objet dans ses bras. Bientôt, je réalisai qu'il s'agissait d'un adorable chiot blanc. Je sentis naître en moi une nouvelle clarté. Je n'en croyais tout simplement pas mes yeux : l'homme que nous venions de priver de son fidèle compagnon nous faisait présent d'un petit chien.

C'était le miracle de l'amour et la première leçon que je reçus du jeune prince. Ce que je possédais d'expérience, je le lui avais transmis sous forme de discours, mais lui, en véritable maître, m'enseignait la sagesse sans avoir à prononcer un mot. C'est alors que je pris conscience que mille livres sur l'art d'aimer ne pourraient jamais remplacer un simple baiser ou un geste affectueux.

—C'est un kuvasz, me dit-il. Tu connais cette espèce ?

—Oui, répondis-je. Ils sont originaires du Tibet et l'on en trouve aussi dans certaines parties de l'Europe orientale.

—L'homme a pensé que je m'en occuperais bien, précisa-t-il sans cesser de caresser son nouveau compagnon. Je vais l'appeler Ailes, en hommage à mon ami aviateur, parce qu'il est aussi blanc et doux que les nuages.

C'est ainsi que nous poursuivîmes tous les trois notre chemin jusqu'au petit hôtel où nous allions passer la nuit. Après cet incident, le jeune prince retrouva sa joie de vivre.

Une fois le dîner terminé, nous obtînmes la permission d'emmener Ailes dans notre chambre. Le chiot ne se sentit vraiment en confiance qu'une fois dans le lit de mon jeune compagnon. Quelques instants plus tard, Ailes et son maître s'envolaient, blottis l'un contre l'autre, au pays des rêves.

Chapitre 12

L e lendemain, nous reprîmes la route de bonne heure, émerveillés par les espaces infinis qui s'étiraient devant nous. Bien qu'aride et solitaire, le paysage ne manquait pas de charme et nous ne nous lassions pas de l'admirer. Le jeune prince caressait distraitement Ailes, pelotonné sur ses genoux. Je voyais bien que quelque chose le tracassait, mais je respectai son silence. Au bout d'un moment, il finit par dire :

—Je n'ai pas envie de devenir un homme sérieux.

—Et tu as raison, répondis-je.

—Mais est-ce qu'on peut grandir sans devenir un homme sérieux ?

—C'est une bonne question, rétorquai-je.

Tellement bonne, à dire vrai, que je ne savais pas comment y répondre.

—À mesure que nous grandissons, nous découvrons un monde bien différent de celui que nous connaissions quand nous vivions chez nos parents – du moins pour ceux d'entre nous à qui l'on racontait des contes de fées et des histoires de princes charmants. Brusquement, nous nous retrouvons confrontés à l'égoïsme, à l'agressivité et la duperie. Nous nous efforçons de garder intacte notre innocence, mais l'injustice, la violence, la superficialité et le manque d'amour nous assaillent de toute part. Et voilà que notre âme, au lieu d'irradier la lumière et la joie de vivre, se met à vaciller face à l'implacable réalité. Certains finissent par abandonner purement et simplement leurs rêves au profit de la pensée rationnelle. Ils deviennent des gens sérieux, qui ne jurent que par l'illusoire sécurité que leur procurent les chiffres et la routine du quotidien. Mais, le sentiment de sécurité n'étant jamais absolu, ils deviennent insatisfaits. Ils ont beau accumuler les biens matériels, il leur manque toujours quelque chose. Car, pour eux, la fin justifie les moyens.

—Mais pourquoi passent-ils autant de temps à accumuler les objets puisque ça ne les rend pas heureux ? demanda le jeune prince avec beaucoup de bon sens.

—Parce que la possession de ces biens les rassure. Leur devise se résume à avoir ou ne pas avoir. Pour ce genre de personnes, il suffit d'acheter ce qui nous fait envie pour être heureux, sans se poser de questions.

—Mais ils ne se rendent pas compte qu'ils font fausse route ? s'étonna le jeune prince, qui n'arrivait pas à croire que l'humanité pouvait être à ce point aveugle.

—Vois-tu, mon jeune ami, dans notre société où tout est à vendre, les gens n'ont de cesse d'acheter toujours plus de choses, et, tant qu'ils n'auront pas épuisé toutes les ressources, ils ne se rendront pas compte qu'ils se sont engagés dans la mauvaise direction. Tous les prétextes leur sont bons pour ne pas admettre qu'ils se sont fourvoyés et qu'ils doivent changer leurs habitudes. Ils sont comme ces bateleurs de foire qui doivent jongler avec sept chapeaux à la fois sans en faire tomber un seul. Ils le font instinctivement, sans voir plus loin que le bout de leur nez. Tout ce qu'ils veulent, c'est posséder tout ce qui leur fait envie. C'est ainsi qu'ils gaspillent leur existence, en sautant d'une chose à l'autre, comme on saute d'une pierre à l'autre pour franchir un ruisseau. Sauf qu'ils ne réussiront jamais à le franchir. Ceux qui ne pensent qu'à accumuler des biens se retrouvent piégés dans le futur sans possibilité de savourer l'instant présent, car ils sont constamment à l'affût de nouveautés.

—Mais que pourraient-ils faire d'autre ? me demanda mon jeune ami en caressant Ailes qui dormait sur ses genoux.

—S'immerger dans la réalité de l'être et se laisser porter par elle. Vivre l'instant présent, ressentir et aimer, au lieu de ne viser que la fin du voyage. En fin de compte, le sens de la vie se résume à expérimenter et sentir les choses. Ainsi, quand un obstacle surgit, ils pourraient adopter un autre comportement qui leur permettrait de se réaffirmer dans leur essence, un peu comme un fleuve qui ne cesserait de modifier son cours. Être attentif et conscient, les sens toujours en éveil, garder intacte notre capacité d'aimer pour pouvoir savourer et créer, ici et maintenant, sans se retrouver piégé dans le passé ou le futur.

—Faut-il renoncer à nos souvenirs pour cela ? s'enquit le jeune prince.

Sans doute qu'en disant cela, il se référait à sa fleur et à son ami, qui étaient tellement importants pour lui.

—Non, répondis-je. Les bons souvenirs et les expériences gratifiantes peuvent t'apporter du réconfort dans les moments difficiles ou quand tu te sens seul. Mais il ne faut pas t'accrocher au passé, sans quoi tu risques de te retrouver piégé par lui et de renoncer à vivre de nouvelles expériences. Le passé est sans surprise, car il est fermé, mort. Mais certains préfèrent la quiétude et la sécurité de la mort plutôt que d'affronter l'incertitude de la vie, avec ses joies et ses peines.

Je fis une pause avant d'ajouter :

—Les souvenirs nous empêchent de savourer l'instant présent parce que nous aimerions revivre des choses que nous avons vécues dans le passé. Alors que ça n'arrivera jamais. De même que l'eau d'une rivière se renouvelle en permanence, les situations identiques ne se répètent jamais deux fois dans la vie. Et, malgré cela, les gens essaient de revivre toujours les mêmes choses, ce qui les empêche d'en vivre d'autres, tout aussi agréables, voire plus. En cela, ils se comportent comme ces animaux qui reviennent toujours à l'endroit où ils ont trouvé de la nourriture une fois, et finissent par mourir de faim parce qu'ils ne pensent pas à aller voir plus loin.

Après cela, nous restâmes l'un et l'autre silencieux, sans que rien vienne s'immiscer dans nos pensées respectives.

Pour finir, ce fut le jeune prince qui rompit le silence en s'exclamant, à ma grande surprise :

—Merci !

—Pourquoi donc ?

—Pour m'avoir sauvé du malheur.

—Que veux-tu dire par là ? demandai-je.

—J'ai réfléchi à tout ce que tu viens de dire et j'ai découvert qu'il y avait une pensée profondément enracinée dans mon esprit : je ne pourrai pas être vraiment heureux tant que je n'aurai pas trouvé un nouvel ami comme mon ami aviateur. Cependant, il y a trois obstacles. Le premier, c'est qu'en voulant rencontrer quelqu'un « comme » lui, je risque de passer à côté de personnes tout aussi intéressantes et généreuses. Le deuxième, c'est que je ne suis pas certain de pouvoir rencontrer quelqu'un d'identique. Et le troisième, c'est qu'en me fixant un seul objectif, je risque de négliger les personnes qui sont déjà à mes côtés.

—Je vois que tu m'as parfaitement compris ! m'extasiai-je, tel un maître fier de son élève.

—On n'est jamais assez attentif, dit le jeune prince.

—C'est vrai, concédai-je.

Nous échangeâmes un sourire, mais je voyais bien que quelque chose le tracassait encore. Cependant, je décidai de ne pas lui poser de questions sur son passé.

Tandis que la voiture continuait de dévorer les kilomètres, je réalisai que j'étais en train de savourer chaque instant de notre équipée.

Chapitre 13

L'heure de manger approchait, et, craignant qu'Ailes ne s'oublie sur les genoux de mon ami, je décidai de faire une halte. Nous nous arrêtâmes dans le premier restaurant qui se trouvait sur notre route. À l'intérieur, un couple et leurs cinq enfants étaient en train de déjeuner. Quand ils virent l'accoutrement du jeune prince, les bambins s'agitèrent comme si l'un des Rois mages en personne venait de faire son apparition. Sentant que mon ami était mal à l'aise, je me dirigeai vers la table la plus éloignée, à l'autre bout de la salle.

Les efforts du père pour calmer sa progéniture n'eurent guère d'effet. Quant à la mère, assise de dos, elle continuait de manger tranquillement, comme si une surdité sélective lui permettait de s'isoler de la bruyante agitation de ses petits démons. Afin d'atténuer la contrariété de mon jeune compagnon, je déclarai que la différence et la diversité étaient des sources d'enrichissement.

—Si on ne pouvait pas distinguer les fleurs par leur parfum, leur aspect ou leur couleur, on ne prendrait jamais le temps d'en admirer une en particulier. C'est la différence qui nous attire chez elles et qui les rend uniques.

Malheureusement, la diversité des êtres et des choses est parfois utilisée pour créer la division. Tandis que nous nous jetions sur un succulent plat de grillades accompagnées de pommes de terre et de salade, j'expliquai que de nombreux génies ont été rejetés par leurs contemporains, alors même que, sans eux, l'humanité n'aurait pas pu évoluer. Je fustigeai la médiocrité de ceux qui, dès qu'ils entrevoient une étincelle de créativité, s'empressent de l'étouffer au lieu de lui permettre de grandir et d'alimenter le feu du progrès.

—Mon cher ami, dis-je en posant la main sur son épaule, il ne faut pas en vouloir aux gens dont la première réaction est de scruter ton aspect extérieur. Si tu es sûr de toi, ils finiront par t'accepter, ne serait-ce que pour pouvoir se vanter auprès de leurs amis d'avoir rencontré quelqu'un d'extraordinaire.

Je me calai confortablement sur ma chaise et ajoutai :

—Bien sûr, il y a une façon plus simple et facile de te faire accepter par les gens…

—Quelle est-elle ? voulut savoir le jeune prince.

—Faire exactement le contraire. Au lieu d'attirer l'attention sur soi en adoptant un mode vestimentaire différent, on peut opter pour une apparence plus ordinaire, afin de se fondre dans la masse, et ensuite se distinguer par les qualités qui nous sont propres, expliquai-je.

—C'est ce que tu ferais ? me demanda-t-il en me regardant droit dans les yeux.

Je réfléchis un instant avant de répondre :

—Dans le premier cas, les gens seront nombreux à t'approcher ou à garder leurs distances, tout en se faisant une idée de toi positive ou négative sans vraiment avoir appris à te connaître, en se basant simplement sur ton apparence. L'avantage, c'est que tu vas attirer l'attention de nombreuses personnes, mais l'inconvénient, c'est que certaines garderont toujours leurs distances avec toi. Dans le second cas, tu n'attireras pas les regards et beaucoup de gens ne remarqueront même pas que tu existes, ou alors ils le feront beaucoup plus tard. Personnellement, je choisirais la deuxième solution, plus discrète et plus lente, mais aussi plus profonde. Mais, quelle que soit la voie que tu choisiras, l'important, c'est que tu ne renonces pas à ce que tu es pour complaire aux gens qui t'entourent.

—Tu n'as pas peur que ton message reste sans effet et que la plupart des gens ignorent que tu es passé par ce monde ? demanda mon compagnon.

À ces mots, je compris qu'il craignait de ne jamais retrouver la personne qu'il cherchait, même s'il s'efforçait de ne pas le montrer. Je me souviens lui avoir répondu qu'une personne n'avait de valeur que si elle était acceptée par ceux qui la connaissaient. Car si cette personne parvient à transmettre un message important, ne fût-ce qu'au petit groupe de personnes qui l'entourent, elle fera jaillir à coup sûr une étincelle dans les ténèbres, exactement comme une étoile lointaine qui traverse des millions d'années d'obscurité pour parvenir jusqu'à nous.

—Quant aux personnes, ajoutai-je avec conviction, je suis persuadé que nous finissons toujours par rencontrer celles qui nous correspondent. C'est à nous de les reconnaître et de les distinguer des autres.

C'est ainsi que le jeune prince décida de changer d'habits, et quand nous ressortîmes du petit magasin de vêtements du village, il portait une tenue de sport avec des tennis et une casquette enfilée à l'envers sous laquelle rebiquaient les mèches blondes de sa magnifique chevelure. Rien n'aurait pu le distinguer des autres garçons de son âge.

—Après tout, tu es prince par naissance, dis-je en souriant, afin d'essayer de le mettre à l'aise pour sa première incursion dans notre monde où se côtoient adversité et émerveillement.

Mais il me répondit :

—Nous sommes tous des princes ; simplement, certains l'ignorent et d'autres l'ont oublié… Mon royaume n'existe qu'à l'intérieur de moi-même.

Sur ces mots, il se mit à courir en tapant dans le ballon d'un groupe de jeunes qui jouaient au foot dans la rue.

Désormais, à cause de mon intervention (et je vous prie de m'en excuser, chers lecteurs), il vous sera impossible d'identifier le jeune prince au premier coup d'œil, même si je reste convaincu que ceux d'entre vous qui gardent leur cœur et leur esprit ouverts sauront le reconnaître.

Chapitre 14

Quand nous reprîmes la route, le jeune prince me demanda :

—Mais toi, comment as-tu fait pour ne pas devenir un homme sérieux ?

Que le fait de grandir implique certaines transformations semblait beaucoup le préoccuper.

—Comme je te l'ai dit déjà, les gens renoncent parfois à leurs rêves et à leurs idéaux pour ne plus rien faire d'autre qu'accumuler des biens matériels, comme si le pouvoir et l'argent pouvaient leur apporter la sécurité. Autrement dit, au lieu d'affronter la critique et la désapprobation et de suivre leur véritable vocation, ils préfèrent pratiquer la fuite en avant.

D'autres manipulent la réalité afin de la plier à leur volonté, car ils veulent tout contrôler. Ils jugent les autres et les réduisent à des schémas mentaux et physiques qui sont autant de petites cages dont il est quasi impossible de s'extraire. En fin de compte, ils paralysent la capacité de l'univers à se transformer en empêchant l'amour du prochain de se développer. Si les parents faisaient autant d'efforts à éduquer dans l'amour leurs enfants qu'ils en fournissent pour leur inculquer l'ordre et la discipline, la vie sur cette planète serait infiniment plus agréable.

—Tu veux dire que la discipline n'est pas forcément une bonne chose ?

—Ce qu'on entend le plus souvent par discipline, c'est imposer notre vision limitée à l'ordre divin. L'homme doit faire attention à ne pas trop interférer avec l'ordre de la nature, au risque d'obtenir des résultats inverses à ceux désirés. La pollution, l'extinction des espèces végétales et animales, l'épuisement des ressources naturelles, et beaucoup d'autres choses sont autant d'effets négatifs résultant de la discipline que les humains cherchent à imposer à la nature.

—Je vois ce que tu veux dire, déclara le jeune prince. Lors de mon précédent voyage, j'ai rencontré un homme qui prétendait contrôler les étoiles. Il passait ses journées à les compter et les additionner, puis il inscrivait les résultats sur un bout de papier qu'il gardait dans un tiroir. Et comme ça, il avait l'impression qu'il les possédait.

—Tu as remarqué combien les hommes sérieux aiment les chiffres ? Ils ne seront pas satisfaits tant qu'ils ne connaîtront pas la hauteur exacte d'une montagne, le nombre de victimes dans un accident, l'argent qu'ils gagnent en un an, et j'en passe. En réalité, nous ne possédons jamais entièrement une chose.

—J'ai entendu dire que, sur cette planète, on classait même les personnes par numéros, commenta-t-il, inquiet.

Je songeai aux passeports, cartes de sécurité sociale ou de crédit, numéros de téléphone…

—En effet, confirmai-je avec tristesse. Les gens sont si nombreux sur Terre que c'est la seule façon de les identifier. Les noms ne suffisent plus…

—Tu veux bien me montrer tes numéros ? demanda le jeune prince, songeant sans doute qu'ils étaient inscrits sur mon corps.

—Ils ne sont pas tatoués sur ma peau, répondis-je en souriant et en lui montrant les numéros qui figuraient sur mes papiers d'identité.

Mon expression changea quand je me rappelai certains cas aberrants liés à des situations qu'il m'aurait été difficile de lui expliquer.

—Il n'est pas impossible que, dans un avenir proche, notre code génétique permette de nous identifier. Je prie Dieu que cela n'ait pas pour conséquence de nous priver de liberté.

—Comment cela ? me questionna-t-il, visiblement troublé par le ton de ma voix.

—Je veux dire que l'homme a été créé par Dieu, qui l'a doté de la faculté de libre arbitre et de conscience, et de cette capacité à imaginer et à penser que nous appelons l'âme. C'est pourquoi les êtres humains ne peuvent pas donner le meilleur d'eux-mêmes quand ils sont privés de liberté.

—Dieu ? C'est quoi ? Tu en parles comme

s'il était responsable des événements qui se produisent sur Terre et qu'il était capable de résoudre les difficultés.

—Qui est-il ? Je ne suis même pas sûr qu'on puisse se demander : « Qui est-ce ? » ou « Qu'est-ce que c'est ? »

—Mais tu parles de *lui*…

—Je sais, l'interrompis-je.

J'inspirai profondément et laissai passer quelques minutes tandis que le jeune prince m'observait avec curiosité.

—Si je savais qui était Dieu, je saurais tout. On dit qu'il est celui qui *est*, le début et la fin, et par conséquent le début et la fin de tout ce qui existe. D'aucuns le considèrent comme un renouvellement éternel, une incessante succession d'effets et de causes. Certains le définissent comme un modèle de perfection, le bien et la beauté, et l'appellent le verbe, le créateur, la vérité et la sagesse suprême.

—Autrement dit, conclut mon jeune compagnon, les hommes en savent moins sur Dieu qu'ils ne se l'imaginent…

—Je le pense aussi, dans la mesure où l'intelligence est limitée et incapable d'appréhender l'infini. Ce qui est désolant, c'est que, encore aujourd'hui, les hommes, dans leur ignorance, se battent parce qu'ils n'ont pas la même réponse à cette question.

Voyant que mon jeune ami sursautait à cette remarque, j'ajoutai en souriant :

—Ne t'en fais pas, je n'en fais pas partie !

—Il y a d'autres raisons pour lesquelles les gens se battent ? voulut-il savoir, inquiet de ce qui risquait de lui arriver sur cette planète intolérante et violente.

—Oh oui, beaucoup, mais aucune n'exacerbe autant la haine que le mystère du divin, ce qui montre à quel point la conscience des hommes est peu développée. Tout récemment, il s'est produit quelque chose encore plus grave : les gens ne cherchent plus à savoir qui est Dieu, comme si la raison pour laquelle ils sont vivants ne les intéressait pas.

—Et toi, tu en penses quoi ? me demanda-t-il, espérant sans doute que j'allais pouvoir lui apporter un peu de lumière.

—Je préfère sentir Dieu en moi-même comme un besoin de m'unir à toutes les créatures vivantes, comme le rayonnement de l'amour qui sustente l'univers.

Ces paroles eurent sur lui un effet apaisant, car il resta un moment perdu dans ses pensées.

—Je suppose que les animaux non plus ne peuvent pas donner le meilleur d'eux-mêmes quand on les met en cage, fit remarquer le garçon en songeant peut-être au mouton enfermé dans sa caisse.

—Il y a des parents qui enferment leurs enfants derrière les barreaux de leurs exigences, de leurs espérances et de leurs craintes, méditai-je. Ils ne se rendent pas compte que ce qui est vécu comme une contrainte provoque chez nous de la résistance. Autrement dit, tout ce qui mène à l'immobilité et l'absence de spontanéité est contraire au renouveau de la vie. Car qu'y a-t-il de plus ordonné et sûr qu'un cimetière ?

—Est-ce que cela signifie que l'ordre n'est pas nécessaire ? demanda le jeune prince.

—Il existe un ordre externe dont nous avons besoin pour nous sentir à l'aise. Mais l'ordre qui importe réellement, c'est celui de l'âme et qui doit être orienté vers Dieu, dans la mesure où nous venons de lui et revenons vers lui. Or, il ne s'agit pas d'un ordre constant, mais plutôt d'une évolution permanente de notre essence spirituelle.

—Comment sais-tu toutes ces choses ? s'enquit-il, surpris de voir que j'avais une réponse à toutes ses questions.

—Grâce à mon expérience et à mon intuition.

—Et comment sais-tu que tu as raison ?

—Grâce à mon expérience et de mon intuition, répétai-je.

—Et tu ne te trompes jamais ? dit-il, admiratif.

—Bien sûr que si, auquel cas, mon expérience s'en trouve enrichie. Je ne prétends pas détenir la vérité, seulement une parcelle de connaissance qui m'a été utile dans la vie. Tu devrais en faire autant. Ne considère pas mes réponses comme allant de soi. Prends-les, simplement, et vois si elles peuvent t'être utiles.

—Mais l'expérience, où puis-je la trouver ? voulut savoir le jeune prince.

—Dans la vie elle-même, répondis-je. Mon expérience à moi s'est forgée au fil du temps, à partir des erreurs que j'ai pu commettre et de ma capacité à les surmonter. Si tu es intelligent, tu parviendras à apprendre des erreurs commises par les autres sans avoir besoin de les commettre toi-même. Les livres, les maîtres, l'histoire des autres personnes peuvent t'ouvrir des voies, mais, au final, c'est toi qui dois décider laquelle suivre.

Voyant son air perplexe, je réalisai que tout ceci devait lui sembler un peu vague. Il est indéniable que les jeunes apprennent davantage de notre expérience que de nos paroles.

Nous étions en train de longer une rivière qui serpentait au fond d'un profond canyon.

De chaque côté, la cordillère des Andes se hérissait d'étranges formations rocheuses. L'une d'elles attira notre attention : c'était un éperon rocheux qui pointait vers le ciel. Une pancarte indiquait : LE DOIGT DE DIEU.

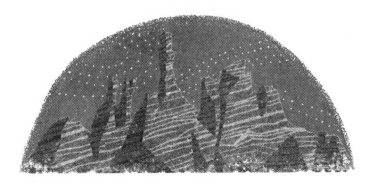

Je souris en songeant que les gens du cru s'étaient empressés de lui donner un nom sacré avant que les touristes ne lui en attribuent un d'une nature plus profane.

Pour ma part, je me représentais le doigt de Dieu plutôt comme celui peint par Michel-Ange dans la chapelle Sixtine, tendu vers les hommes et non pas le contraire. Soudain, une pensée me traversa l'esprit.

—L'expérience, dis-je, est comme une carte géographique. Malheureusement, pour ce qui concerne le futur, c'est une carte incomplète. C'est

pourquoi tu dois chaque jour valider les supposi-
tions qui se sont avérées et écarter les autres.

—Et l'intuition ? demanda le jeune prince,
dont la curiosité semblait insatiable.

—L'intuition est la première perception
que nous avons d'une personne ou d'une situation. C'est généralement la bonne. Mais notre
société a une fâcheuse tendance à surestimer la
connaissance par déduction rationnelle, qui est
plus lente, même si elle peut s'avérer utile à la
science. Alors que la connaissance intuitive est
instantanée et complète.

—Je crois que ma fleur avait de l'intuition,
fit-il remarquer. Parce qu'elle devinait mes
pensées sans que j'aie besoin de les dire. Peut-
être est-ce pour cela que les fleurs et les hommes
ne s'entendent pas toujours très bien.

Chapitre 15

La route sinueuse longeait à présent un lac aux rives couvertes de pins. À chaque changement de vitesse, les rugissements du moteur provoquaient d'agréables frissons dans ma colonne vertébrale. Soudain, le garçon me tira de ma rêverie :

—On était en train de parler des gens sérieux ! me lança-t-il. Que peux-tu me dire d'autre à leur sujet ?

—Pas mal de choses, murmurai-je, résigné, car il eût été inutile de lui expliquer qu'il venait d'interrompre une extraordinaire symphonie mécanique.

Après tout, n'étais-je pas moi-même en train de me transformer en homme sérieux ?

—Comment se fait-il que tu n'en sois pas devenu un ? voulut savoir le jeune prince, dont les questions allaient chaque fois droit au but.

—En observant les gens sérieux autour de moi, tous les gens respectables et qui avaient réussi dans la vie. Je me suis rendu compte qu'aucun d'eux n'était réellement heureux.

—Tu veux dire par là que l'ordre et la discipline les rendaient malheureux ? insista-t-il, quelque peu surpris.

—Non. Les gens sérieux dans leur majorité aiment l'ordre et détestent les imprévus et tout ce qui échappe à leur contrôle. Mais plus ils exercent leur contrôle et moins ils profitent de la vie. Car ils veulent que tout soit exact et prévisible. Le moindre changement les irrite et les angoisse, alors que notre réalité instable ne cesse de les narguer.

—Ce que tu dis là me rappelle un allumeur de réverbères qui est incapable de sortir de sa routine, expliqua le jeune prince. Quand sa planète s'est mise à tourner plus vite, son rythme de travail est devenu infernal.

—En fait, repris-je, le passage de ces gens sur cette terre est aussi brillant et fugace que leur avis de décès, quel que soit le nombre de médailles et de diplômes qu'ils ont pu glaner de leur vivant. Jamais personne n'oserait graver sur leur tombe : *Et malgré cela, il ne fut pas heureux*. C'est la voûte céleste qui se charge d'écrire leur épitaphe avec des étoiles filantes.

—Personne ne devrait s'enorgueillir d'être une étoile filante, fit remarquer le garçon.

—Non, c'est vrai, concédai-je. Ce ne sont que de petites flammes qui s'éteignent rapidement, comme des lucioles dans la nuit des temps. Il y a aussi une autre catégorie de personnes, ajoutai-je en poursuivant mon raisonnement, qui, lorsqu'elles sont confrontées à la réalité, sont incapables de renoncer à leurs idéaux. Elles s'efforcent tellement de les protéger qu'elles finissent par ériger un mur autour d'elles, sans autre résultat que d'asphyxier leur âme. Parfois, ce mur est si résistant qu'il leur est impossible de trouver la moindre brèche par laquelle se faufiler à l'intérieur. De sorte qu'ils se retrouvent piégés à l'extérieur, comme des marionnettes dont on aurait coupé les fils ; des fantômes qui ne savent plus qui ils sont, d'où ils viennent et où ils vont. Ils se retrouvent à errer sans fin dans un univers qui, avec le passage du temps, devient aussi froid qu'une comète vagabonde.

—Je n'aimerais pas être une comète vagabonde, déclara le jeune prince.

Puis il demanda :

—Qu'est-ce qu'un fantôme ?

—Un fantôme est une image sans contenu, une ombre, un trompe-l'œil. Il y a des gens qui croient que les fantômes n'existent pas. Mais moi, je pense qu'ils sont très nombreux au contraire. Pour moi, les fantômes, ce sont les gens qui n'ont pas de cœur.

—Je n'aimerais pas non plus être un fantôme, médita mon compagnon, de plus en plus conscient que grandir ne se fait pas sans quelques difficultés.

—Dans ce cas, reste fidèle à tes désirs et ne les enterre pas tant qu'ils ne seront pas morts d'eux-mêmes. Apprends à mêler ce qui est vrai et ce que tu aimerais qui soit. Donne le meilleur de toi dans tout ce que tu entreprends, comme te le dicte ton âme, et offre le meilleur de toi-même à ton prochain pour lui montrer que tu l'aimes. Et tu verras que le monde se transformera en un miroir grossissant qui te renverra une grande part de tout ce que tu as donné de façon désintéressée. De même que la seule façon de s'entourer de sourires est de sourire soi-même, pour s'entourer d'amour, il faut donner de l'amour. Il arrive un moment où on se retrouve pris entre deux mondes, celui de l'enfance, centré sur soi, et celui de la maturité, ouvert aux autres. C'est alors qu'il faut cesser de faire des caprices, se débarrasser de son égoïsme et de son intransigeance, pour défendre les valeurs en lesquelles on croit. Aime-toi toi-même, et ainsi tu pourras aimer les autres. Aime tes rêves et, grâce à eux, tu pourras construire un monde plus chaleureux et plein de sourires et de tendresse ; le monde dans lequel tu aimerais vivre et qui tourne sur une orbite multicolore. Si tu y crois vraiment et que tu t'obstines à le construire un peu plus chaque jour, ce monde deviendra possible pour toi. Ce sera la récompense à tes bonnes actions, car je n'ai jamais vu personne jouir pleinement d'un bonheur qui n'est pas mérité. Seules les personnes qui aiment vraiment sont comme les étoiles, dont la lumière continue de nous parvenir longtemps après qu'elles se sont éteintes.

Sa voix était pleine de ferveur et d'émotion quand il dit :

—Quand je mourrai, je veux être une étoile. Apprends-moi à vivre pour que je puisse en devenir une.

Sur ces mots, il serra son chien sur sa poitrine et appuya son front contre la vitre.

—Je ne peux pas te donner de recettes précises pour cela, répondis-je gentiment. Je ne suis pas très calé en matière d'étoiles. La seule chose que je peux t'offrir, c'est ce que j'ai appris de la vie : une poignée de vérités qui, comme toutes les vérités, ne peuvent se transmettre qu'à travers l'affection. Toi, comme nous tous, tu portes en toi la capacité d'aimer et c'est tout ce dont tu as besoin. Si tu as des doutes, cherche la vérité en toi et, avec un peu de patience, tu trouveras la réponse.

Mais il ne m'écoutait déjà plus... Sans doute avait-il découvert que dans le pays des rêves, nous pouvons tous être des princes et des étoiles.

Chapitre 16

Cette nuit-là, nous fîmes halte dans une charmante auberge située au bord d'un lac. C'était un robuste chalet entouré d'une grande forêt. Un feu de bois crépitait dans chaque cheminée, et chaque chambre était décorée sur un thème en relation avec la nature. La nôtre, « La prairie », était tapissée de vert clair avec des motifs de faune et de flore locales. Quand la direction nous informa qu'Ailes allait devoir passer la nuit dans un petit local à part, je songeai que mon ami aurait sûrement du mal à se séparer de son chiot.

En descendant dans la salle à manger, je ne fus guère surpris d'y retrouver la remuante famille que nous avions croisée à l'heure du déjeuner, car les hôtels sont rares dans ces contrées. Comme il fallait s'y attendre, notre entrée provoqua la même stupeur que quelques heures plus tôt. Mais comme dit le proverbe : « Quoi que tu fasses, tu ne pourras de toute façon jamais plaire à tout le monde. » Sans doute à cause de l'heure tardive et de la fatigue du voyage, une mauvaise humeur à peine contenue régnait autour de la table. Le plus petit des cinq enfants pleurait à chaudes larmes. Un autre avait été puni et privé de dîner. Le troisième était obligé de terminer son poisson et boudait, car il n'aimait pas ça. Les deux derniers gardaient les yeux baissés sur leur assiette sans desserrer les dents. Peu habitué aux querelles familiales, mon jeune compagnon fut tellement affecté par cette situation qu'il en eut l'appétit coupé. C'est alors que le second miracle de notre voyage s'accomplit : se levant soudain de table, il alla chercher Ailes, puis, le prenant dans ses bras comme un bébé, en fit cadeau aux enfants, qui tendirent les mains pour le caresser, les yeux brillants de bonheur.

Le geste du jeune prince était tellement émouvant que les parents en restèrent sans voix. Quand ils eurent retrouvé la parole, ils tentèrent de refuser le cadeau (sûrement avaient-ils une foule de bonnes raisons pour cela), mais trop tard. Ailes faisait déjà partie de la famille. Demain, ils seraient huit quand ils reprendraient la route.

La bonne humeur étant revenue dans la salle à manger, mon jeune ami put savourer tranquillement son dîner parmi les rires des enfants et les joyeux glapissements d'Ailes, qui avait maintenant cinq jeunes maîtres pour le choyer.

—Je trouve formidable un tel geste de ta part envers ces petits garnements qui, ce matin même, se sont moqués de toi, dis-je, curieux de voir sa réaction.

—Mais, c'est toi-même qui m'as dit que j'avais provoqué leur sarcasme à cause de ma tenue vestimentaire. Il est naturel que des enfants réagissent de cette façon. Et puis, l'ambiance sinistre qui régnait dans la salle à manger m'a mis tellement mal à l'aise que j'ai voulu faire quelque chose pour détendre l'atmosphère. Ailes m'a apporté du réconfort au moment où j'en avais le plus besoin. Je suis heureux qu'il puisse réchauffer d'autres cœurs que le mien.

C'est sur cette note joyeuse que s'acheva notre deuxième jour de voyage. Une fois de plus, je constatai qu'un simple geste avait suffi au jeune prince pour mettre en pratique mes laborieuses explications.

Chapitre 17

Quand je me réveillai, plus tard qu'à l'accoutumée, après une bonne nuit de sommeil, je réalisai que le lit de mon jeune compagnon était vide. J'allai à la fenêtre et l'aperçus debout au bord du rivage et aussi immobile que les eaux du lac. Les premiers rayons du soleil dissipaient un reste de brume matinale, et une extraordinaire sensation de paix imprégnait toute chose. Plus tard, quand nous reprîmes la route, je constatai que la voiture de la turbulente famille n'était plus là. Nous roulions depuis un quart d'heure et avions atteint l'orée de la forêt de cèdres, d'araucarias et de conifères, quand le jeune prince s'écria soudain :

—S'il te plaît, arrête-toi !

—Que se passe-t-il ?

—Arrête-toi, répéta-t-il, visiblement inquiet.

Il s'élança hors de la voiture et s'enfonça dans les bois sans me donner plus d'explications.

Sur le coup, je songeai qu'il avait été pris d'une envie subite de soulager un besoin naturel.

Mais il ne s'agissait pas de cela, réalisai-je, non sans amertume, quand je le vis revenir avec Ailes dans les bras.

Je ne comprenais pas qu'on puisse abandonner une créature aussi attachante.

Ailes léchait fébrilement les mains et la figure du jeune prince. Sa joie de nous revoir était plus qu'évidente.

—Ce ne sont sûrement pas les enfants, dis-je, essayant de deviner quels pouvaient être les sentiments de mon ami face à une telle cruauté. Je ne comprends pas pourquoi ils ne l'ont pas laissé à l'auberge pour qu'il nous soit rendu. Un mot de remerciement ou d'excuses aurait suffi, grommelai-je, tandis qu'il restait silencieux.

Le chiot, visiblement exténué par toutes ces émotions, s'endormit sur les genoux de mon ami dès que nous redémarrâmes.

Une fois de plus, la vallée verdoyante fit place à un paysage aride et solitaire, qui invitait davantage à la méditation qu'au bavardage.

Après un long moment de silence, je dis :

—Heureusement, Ailes est toujours en vie. Il vaut mieux tirer un trait sur ce triste incident et ne plus y penser.

Le jeune prince ne répondit rien. Quand il se décida enfin à parler, il déclara, mélancolique :

—Moi aussi, j'ai abandonné une fleur, et jamais je ne me pardonnerai de l'avoir laissée se faner. Et je me sens coupable d'avoir douté des bonnes intentions de mon ami. Même si c'est en partie à cause de l'herbe sauvage.

—C'est donc là la raison pour laquelle tu te sens prisonnier du passé ? demandai-je. Écoute-moi attentivement, car je vais te donner le secret du bonheur.

—Tu détiens un tel secret ? répliqua-t-il, les yeux écarquillés, comme s'il n'arrivait pas à croire que la réponse à la question que l'humanité se pose depuis des siècles allait lui être révélée à cet instant précis.

—Eh bien, oui. Tout du moins, je le crois, répondis-je, songeant qu'en pareilles circonstances, il valait mieux faire preuve d'assurance que de feindre la modestie. Même si je ne l'ai pas trouvé dans un antique parchemin ou dans les entrailles d'une mystérieuse pyramide, je suis convaincu qu'il est bien réel.

—Oh ! donne-le-moi, s'il te plaît ! implora le garçon.

—Tu ne seras heureux que si tu aimes et que si tu sais pardonner. Parce qu'alors, tu seras toi aussi aimé et pardonné. Il ne saurait y avoir de pardon sans amour, car le pardon ne pourra jamais égaler la force de ton amour. Et enfin, il n'est pas possible d'aimer et de pardonner les autres si on n'est pas capable de s'aimer et de se pardonner soi-même.

—Mais comment peut-on s'aimer soi-même, alors que l'on connaît ses propres imperfections ? objecta-t-il.

—De la même façon que l'on aime les autres, qui ont, eux aussi, des imperfections. Ceux qui attendent la venue d'un être parfait pour recevoir de l'amour vont de désillusion en désillusion, et finissent par ne plus aimer personne. C'est pourquoi, pour t'aimer toi-même et te pardonner, tu dois éprouver le besoin de te dépasser afin de donner le meilleur de toi-même.

—Mais comment pourrais-je savoir si j'aime vraiment alors que je n'ai jamais connu l'amour ? voulut savoir en toute logique le jeune prince.

—Ton amour est vrai si tu places le bonheur de l'autre avant le tien. L'amour véritable est libre et il ne connaît pas de limites. Ne cherche pas à satisfaire tes propres besoins, mais concentre-toi sur le bonheur de la personne aimée.

—Je ne vois toujours pas comment je pourrais donner de l'amour à quelqu'un sans en avoir reçu moi-même d'abord, insista le jeune prince.

—C'est vrai. Parfois, nous avons la chance de recevoir l'amour inconditionnel de nos parents. Ou parfois, par le biais de la méditation, nous découvrons que nous possédons une âme immortelle et sentons l'amour du Créateur. Il y a des gens qui, après avoir lu l'Évangile, sentent que Jésus aimait tous les hommes sans exception, au point de sacrifier sa vie pour nous libérer de la peur de mourir et nous enseigner que nous sommes tous des êtres spirituels soumis à l'expérience de la vie incarnée. D'autres découvrent, à travers les paroles de maîtres éclairés, une compassion absolue envers toutes les créatures vivantes. Si tu le veux vraiment, tu finiras par trouver une raison de t'aimer toi-même et tu découvriras que tu es une créature unique et merveilleuse.

Je disais cela avec une grande conviction, mettant dans mes paroles toute l'énergie dont j'étais capable. J'étais conscient qu'il n'y avait pas tâche plus difficile, ni plus sublime, que de consoler un cœur brisé, tandis qu'il m'écoutait avec un profond respect.

—Nous devons apprendre des enfants, continuai-je. Ils pardonnent facilement, sans quoi leur vie ne serait qu'une succession sans fin de haine et de vengeance. Et, d'ailleurs, que pourrais-tu avoir de si terrible à te reprocher ? De douter ? Même les personnes les plus croyantes connaissent le doute. Accepte tes erreurs et aie confiance en la miséricorde de Dieu, parce que lui t'a déjà pardonné. Et si tu doutes de son existence, que gagnes-tu à ne pas te pardonner toi-même ? Tu as suivi ta voix intérieure, comme tu le devais, et tu es parti à la recherche de ton ami aviateur pour lui demander pourquoi il t'a fait cadeau d'une caisse trop petite pour pouvoir contenir un mouton.

Il ne répondit rien. Immobile et le regard perdu dans le vague, il avait cessé de caresser Ailes.

—De plus, je pense que tu ne dois pas te juger trop sévèrement pour avoir négligé ta fleur. Les fleurs se fanent quand vient la fin de l'été, puis elles renaissent au printemps. As-tu songé qu'elle t'avait peut-être repoussé exprès pour que tu ne puisses pas la voir se flétrir et perdre ses pétales ?

Je sentis sur moi les yeux du jeune prince, qui me regardait comme si sa vie dépendait de chacune de mes paroles.

—Tu as abandonné ton petit monde, certes, mais pour en explorer un plus grand. Tout choix suppose un renoncement. Un changement, quel qu'il soit, nous oblige à laisser derrière nous une partie de nous-mêmes. C'est la seule façon de grandir et d'avancer. Non sans peine, mais tout en sachant que l'expérience nous enrichira. Petit à petit, nous nous débarrassons du superflu pour ne conserver que l'essentiel, tels des pèlerins qui, en cours de route, prennent conscience du poids inutile de leur bagage.

Les paroles sortaient de ma bouche sans effort, guidées par un savoir qui semblait étranger à ma volonté.

—Quant à la plante sauvage, n'oublie pas que tu allais l'arracher. Tu pensais a priori que les herbes sont toutes mauvaises parce qu'elles envahissent l'espace des hommes et des fleurs. Mais peux-tu être certain que cette plante était mauvaise en soi ? Sans doute pas, parce qu'elle n'a rien fait d'autre qu'accomplir ce pour quoi elle a été créée, autrement dit, être une plante. Comment condamner une créature qui fait tout ce qu'elle peut pour survivre quand sa vie est en danger ?

Cette fois, le regard du garçon s'illumina, même si ses lèvres étaient toujours scellées.

—Et d'ailleurs, je ne crois pas que les choses soient bonnes ou mauvaises, sauf en ce qui concerne nos besoins et l'usage que nous en faisons. Mais si je devais me prononcer, je dirais que, dès l'instant qu'elles existent, elles ne peuvent qu'être bonnes. Du point de vue universel de la création, il se peut que nous ne comprenions pas toutes les choses qui nous entourent. Est-ce que les herbes existent pour que nous devions les arracher et ainsi ne pas sombrer dans la paresse ? La souffrance existe-t-elle pour que nous puissions aimer et apprécier le bonheur ? Est-ce que la haine existe pour que nous puissions découvrir la joie spirituelle du pardon ? La vérité, c'est que, sans difficultés à surmonter, nous autres, êtres humains, ne pourrions pas progresser et découvrir qui nous sommes vraiment. C'est dans les instants les plus critiques que nous donnons le meilleur de nous-mêmes.

J'inspirai profondément et cessai de parler. Il faut du temps pour que jaillisse en nous le besoin de pardonner.

Certaines personnes ont, paradoxalement, l'impression de faire une faveur à leur prochain quand elles leur pardonnent, alors qu'en réalité, celui à qui le pardon est le plus bénéfique, c'est celui qui le donne. Les sentiments négatifs finissent toujours par se retourner contre ceux qui ressentent de la haine et de l'envie, et qui refusent de pardonner.

Soudain, une phrase de Bouddha me traversa l'esprit comme un lièvre traverse une route : « Celui qui me fait du mal recevra en échange la protection de mon amour et, plus il sera méchant, plus il recevra de bonté de ma part. »

Chapitre 18

Il était midi quand nous atteignîmes une ville célèbre pour son important complexe hôtelier, construit dans le but de développer le tourisme et faire découvrir les attractions locales aux visiteurs et aux hommes d'affaires.

Nous décidâmes de nous y arrêter pour déjeuner et, lorsque nous nous dirigeâmes vers le restaurant, nous passâmes devant une salle de congrès dont les portes étaient restées ouvertes.

Je jetai un regard distrait à la foule qui se trouvait à l'intérieur et, à ma grande surprise, je reconnus le père de la famille que nous avions croisée la veille. Il était à la tribune, en train de conclure une allocution. Ses paroles nous firent tous deux sursauter :

—... c'est pourquoi vous pouvez me faire confiance. Jamais je ne vous trahirai.

Au même instant, ses yeux croisèrent le regard clair et pénétrant du jeune prince, et je fus pris d'une furieuse envie de le démasquer publiquement, en proclamant haut et fort que, le matin même, il nous avait trahis en abandonnant un chiot sans défense.

Cependant, je ne vis pas l'ombre d'une trace de colère ou de rancœur sur les traits de mon jeune ami. Au contraire, ils irradiaient une lumière intense que rien ni personne ne semblait pouvoir ternir.

Nous nous empressâmes de gagner la salle à manger avant que les salves d'applaudissements ne réveillent l'appétit du public.

Nous venions d'entamer notre repas quand l'homme entra et, nous apercevant, se dirigea aussitôt vers nous. Surpris par l'audace de l'individu, je me raidis instinctivement. Cependant, il avait l'air très calme et posé lorsqu'il s'approcha de notre table et posa une main sur l'épaule du jeune prince en déclarant :

—Tu as fait un beau geste hier soir, et je comprends parfaitement que tu aies eu des regrets après coup. C'est un chiot très spécial, même si je ne te cache pas que les enfants étaient très déçus quand ils ont découvert qu'il n'était plus là, ce matin, à leur réveil.

—Je… Je ne comprends pas…, balbutiai-je en lançant un regard en coin à mon compagnon qui demeurait impassible. Vous voulez dire qu'il avait disparu ?

Mais, sans relever ma remarque, le père de famille poursuivit :

—… si vous aviez laissé ne serait-ce qu'un mot expliquant que vous aimiez trop le chien pour vous en séparer, j'aurais eu moins de mal à expliquer à mes enfants qu'ils devaient tourner la page…

—Attendez, l'interrompis-je sur un ton énergique. Mon jeune ami n'a pas changé d'avis. Ce matin, quand nous avons pris la route, nous avons trouvé le chien égaré, seul, dans la forêt, et nous en avons déduit qu'il avait été…

—… abandonné ? dit le père, indigné. Abandonner un chiot sans défense ? Mais comment pouvez-vous imaginer une chose pareille ?

Après un silence embarrassé de ma part, il poursuivit :

—Vous aurez sans doute remarqué que je suis sévère avec mes enfants. Mais cela ne veut pas dire que je suis insensible pour autant, et je m'efforce en toutes circonstances de me montrer juste. Simplement, je crois qu'un peu de discipline est préférable à l'absence de limites.

Il réfléchit un moment avant d'ajouter :

—Je ne comprends pas ce qui a pu se passer, si ce n'est que le chien a réussi à ouvrir la porte du cagibi dans lequel il était enfermé et qu'il s'est sauvé dans la forêt.

Se tournant vers le jeune prince, il lui dit :

—Les kuvasz sont des chiens inquiets par nature. Tu le savais ? Je suis vraiment content que tu l'aies retrouvé.

Incapable de prononcer un mot, je me sentais comme un enfant qu'on a surpris en train de faire une bêtise.

—Bien, je vous laisse à présent. Bon voyage, nous salua l'homme.

Comme il s'éloignait, le jeune prince le rappela :

—Attendez ! Où puis-je trouver vos enfants ?

—Dans les chambres 310 et 311. Ils seront sûrement très contents de te voir, répondit l'homme en se dirigeant aussitôt vers une grande table où ses collègues l'attendaient.

Bien que ne connaissant le jeune prince que depuis peu, j'imaginai sans peine ce qui allait se passer : sa noblesse de cœur était encore plus grande que l'affection qu'il ressentait pour Ailes.

Quelques minutes plus tard, la porte de la chambre 311 s'ouvrit et les cris de joie des enfants se mêlèrent aux jappements joyeux du chien qui avait retrouvé ses cinq petits maîtres.

Cet après-midi-là, tout en reprenant la route, je me jurai que la prochaine fois que j'aurais un doute sur une personne, je lui prêterais de bonnes intentions, et non pas l'inverse. Peu importe le nombre de fois où j'ai pu être déçu, dès lors que je décide d'accorder ma confiance à la prochaine personne qui croisera mon chemin, je n'en serai que plus heureux, et le monde ne m'en paraîtra que plus beau.

Mes attentes positives, eu égard aux personnes et aux circonstances, m'ont offert de belles surprises. Parfois, j'ai le sentiment que la réalité s'évertue à nous complaire, que nous attendions le meilleur ou le pire. C'est pourquoi il y a sans doute de la vérité dans l'adage : « Quel que soit ton état d'esprit, que tu penses réussir ou que tu penses échouer, cela se produira. »

J'observai mon jeune ami à la dérobée. Il avait l'air serein. Je réalisai qu'il n'avait à aucun moment fait de commentaires désobligeants au sujet de la famille.

Pensant que ce ne pouvait pas être les enfants, j'avais d'emblée condamné le père. Mais le plus grave, c'est que, lorsque je l'avais reconnu dans la salle de congrès, je ne lui avais pas pardonné, en dépit de tous mes beaux discours sur le pardon.

Je songeai alors que le garçon avait compris dès le début ce qui s'était passé, mais n'avait rien fait pour me détromper. Au même instant, ses lèvres s'étirèrent en un lumineux et apaisant sourire.

Peu après, nous rejoignîmes la route qui, une fois la vallée traversée, nous mènerait jusqu'à la ville où j'étais attendu par des amis qui m'avaient demandé d'être le parrain de leur premier enfant.

Durant ce troisième jour, c'est à peine si le jeune prince prononça un mot. Il m'écoutait, puis s'immergeait dans ses pensées, comme si, pressentant que le voyage touchait à sa fin, il voulait absorber entièrement le récit de mes expériences.

—Parle-moi du bonheur et de l'amour, me demanda-t-il soudain.

—Vaste sujet ! m'exclamai-je en soupirant. Je pourrais en parler jusqu'à la fin des temps. Je vais essayer de te donner un vague aperçu de ce que serait la vie avec ou sans amour ou bonheur, pour que tu puisses ensuite tracer ta propre voie. L'expérience m'a enseigné que le bonheur ne saurait exister sans l'amour, c'est-à-dire une passion infinie pour la vie et un émerveillement perpétuel de nos sens face à la couleur, le mouvement, le bruit, les odeurs ou les formes.

—Tu veux dire que nous devons mettre de l'amour dans tout ce que nous faisons ?

—Absolument, confirmai-je. Que ce soit dans le travail, l'art, l'amitié, le sport, l'amour. Quant au bonheur, continuai-je, c'est, là encore, un équilibre qui exige de satisfaire de nombreux besoins, des plus basiques, comme de manger, d'avoir un toit, la compagnie de nos semblables et la motivation, aux plus élevés, comme l'amour, l'altruisme et la recherche du sens de la vie, sans parler de la création, la reconnaissance, la productivité et le changement. Seule notre intelligence est en mesure de satisfaire ces besoins d'une façon qui s'accorde avec notre personnalité et le but que nous nous sommes fixé.

—Et comment saurais-je si j'ai réussi ? s'interrogea le jeune prince.

—Plus qu'un objectif ou, mettons, la destination finale d'un train, le bonheur est en réalité une forme de voyage, autrement dit le fait de vivre.

—Un voyage... ?

—Ce n'est pas un sentiment passif, l'interrompis-je. Au contraire, il faut de l'attention et un effort quotidien pour l'atteindre.

—Pourquoi commences-tu toujours par expliquer les choses en décrivant ce qu'elles ne sont pas ? protesta mon jeune compagnon. On gagnerait du temps si tu ne le faisais pas.

Puis, sans me laisser le temps de raisonner sur la bipolarité de notre univers, il enchaîna :

—C'est quoi un train ?

—C'est un groupe de wagons tirés par une locomotive qui roule sur des rails appelés « chemin de fer », répondis-je en m'efforçant de ne pas commencer par dire ce qu'un train n'était pas.

—C'est difficile de sortir de la route, fit observer le garçon. Mais ce doit être impossible pour un train de sortir de ses rails.

Mon silence lui confirma que sa supposition était la bonne.

—Pour vivre heureux, il faut défendre la liberté, mais aussi la vie, l'éthique, la dignité, la loyauté et la paix. Vivre mieux est un devoir pour tous les êtres humains, individuellement et collectivement.

—Qu'entends-tu par vivre mieux ? demanda-t-il.

—Vivre mieux, c'est tirer le meilleur parti de ce que nous offre la vie et attirer tout ce qui nous enrichit d'un point de vue émotionnel, matériel et spirituel.

Je dus faire un effort pour m'arrêter là et ne pas ajouter que « vivre mieux » était le contraire de survivre – qui impliquait de vivre avec le strict minimum. Je me sentais froissé dans mon amour-propre et je n'avais pas envie de lui en dire plus qu'il n'était nécessaire, même si mon discours manquait de clarté.

—Cela veut dire qu'il faut posséder beaucoup de choses pour vivre heureux, conclut-il.

—Non, le contredis-je aussitôt. Le bonheur provient de l'« être » et non de l'« avoir », de l'acceptation et de l'appréciation de ce que l'on possède, sans chercher à obtenir ce que l'on n'a pas. Bien souvent, ce qui nous manque est source de bonheur, parce que cela nous permet de nous compléter les uns les autres. Si nous étions parfaits et que nous possédions tout ce que nous désirons, comment ferions-nous pour nous lier avec notre prochain ? Quelqu'un a dit une fois que ce n'est pas notre forteresse qui nous protège, la nuit, mais notre tendresse qui donne envie aux autres de nous protéger. Le chemin le plus simple et le plus direct vers le bonheur, c'est de rendre heureuses les personnes qui nous entourent.

Après quelques instants de silence, voyant que mon jeune ami attendait, je poursuivis :

—Quant à l'amour, eh bien, je crois que c'est en aimant qu'on apprend à aimer. Nous avons tous la capacité de donner de l'amour, ne serait-ce qu'avec un sourire, qui enrichit tout autant celui qui l'offre que celui qui le reçoit.

—Je crois que cette planète pourrait être très agréable si tout le monde se saluait avec un sourire, commenta le jeune prince.

—L'amour véritable se préoccupe de ce qui est bon pour l'autre personne. Pour un amour comme celui-là, capable de tout accepter et de tout pardonner, rien n'est impossible. Si nous traitons les autres comme ce qu'ils sont, ils ne changeront jamais, mais si nous les traitons comme ce qu'ils pourraient devenir, ils atteindront leur plénitude. C'est un amour altruiste, qui perfectionne tout ce qu'il croise en chemin et ne laisse personne indifférent.

—Même avec beaucoup d'amour, tu ne pourras pas tout résoudre, répliqua le jeune prince, sans doute parce qu'il songeait de nouveau à sa fleur et à son astéroïde perdu dans l'espace et ses deux volcans prêts à entrer en éruption.

—Mais il est toujours possible de faire quelque chose, ne l'oublie pas, dis-je. Aimer, c'est ne pas renoncer à faire ce qui est possible. Et si c'est la seule chose qui te reste, tu verras que l'amour est plus que suffisant.

—Ce doit être triste de ne pas être aimé, observa-t-il.

—Mais c'est encore plus triste de ne pas savoir aimer, fis-je remarquer. D'aucuns considèrent le mal comme une force qui s'oppose à l'amour. Je crois que la pire tragédie qui puisse se produire, c'est de cesser d'aimer. Le manque d'amour, c'est l'enfer.

—Et que se passe-t-il quand tu commets une erreur et que tu échoues en amour ?

—Je ne considère pas les erreurs comme des échecs, dès l'instant qu'on apprend de nos erreurs. La seule erreur véritable, c'est de ne pas essayer encore et encore, de toutes les façons possibles, parce que, si tu te limites à refaire ce que tu as déjà fait, tu n'obtiendras d'autres résultats que ceux que tu as déjà obtenus. C'est pourquoi il est impossible d'échouer en amour : la seule erreur, c'est de ne pas aimer.

—Et comment puis-je savoir qui mérite mon aide et mon amour ? demanda le jeune prince.

—Bien souvent, nous n'apportons notre aide qu'à ceux qui la méritent. C'est une grave erreur, parce que ce n'est pas à nous de juger qui la mérite ou pas. Sans compter que c'est très compliqué. Nous devons aimer. De la même façon que pour le pardon, celui qui aime le plus est celui qui s'enrichit le plus. Au bout du compte, si Dieu aime tous les êtres humains, pourquoi devrions-nous en exclure certains et en préférer d'autres ? Il faut avoir pitié de ceux qui profitent de ta bonté. Si tu consacres ta vie à découvrir ce qu'il y a de meilleur dans l'autre, tu finiras par découvrir le meilleur en toi.

—Et la peur de la mort ? m'interrogea-t-il soudain. Elle nous empêche d'être heureux ?

—Beaucoup de gens ont peur de la mort, alors qu'ils devraient se préoccuper de donner un vrai sens à leur vie et de la rendre fructueuse. Je crois que les âmes ne se perdent pas et que nous finissons tous par atteindre notre destinée. Mais si, ensuite, nous sommes jugés, je suis convaincu que la question qu'on nous posera sera : « Combien as-tu aimé ? » ou « Combien as-tu donné ? » et non pas « Combien as-tu gagné ? » La prospérité n'a de valeur que si on la met au service des autres.

Après une courte pause, et non sans émotion, j'ajoutai :

—Vois-tu, l'amour est plus puissant que tout, y compris la mort. Un de mes frères adorait les ailes. Il en avait de toutes les couleurs. On raconte qu'il est mort, mais il continue de vivre dans nos cœurs. Depuis ce jour, je crois que les seuls qui meurent vraiment sont ceux qui n'ont jamais aimé et ceux qui ne veulent plus aimer.

Chapitre 19

Quand nous atteignîmes les faubourgs de la ville où vivaient mes amis, je ressentis de la tristesse, car je savais que personne n'attendait le jeune prince, pas même sur sa propre planète. C'est pourquoi je lui proposai de poursuivre sa route avec moi.

—La vie s'est montrée généreuse envers moi, dis-je, et j'aimerais pouvoir t'aider autant que je le peux.

—Je te remercie, rétorqua-t-il, mais tu as déjà fait beaucoup…

Au même instant, le feu passa au rouge et je m'arrêtai. Un mendiant s'approcha de la voiture, la main tendue. Quand le garçon baissa la vitre, nous remarquâmes que l'homme sentait l'alcool à plein nez.

—Tu as de l'argent ? me demanda mon ami.

—Je crains de ne plus avoir de pièces, répondis-je.

—Ce n'est pas grave, donne-moi ce que tu as, insista-t-il.

—Tu es sûr ? bredouillai-je, hésitant, tout en m'efforçant d'extraire mon portefeuille de ma poche arrière. Il va tout dépenser en boisson.

C'est alors que le feu passa au vert et que l'automobiliste impatient qui se trouvait derrière nous nous fit comprendre que nous devions avancer.

—Range-toi sur le côté et laisse-le passer, ordonna mon compagnon. C'est toi-même qui m'as dit qu'il ne fallait pas se soucier des apparences. Or, nous sommes en présence d'un homme qui a besoin d'aide.

—Je ne pense pas que l'argent puisse résoudre son problème, protestai-je, même si, en temps normal, je m'efforçais d'aider les gens sans entrer dans ce genre de considérations.

—La boisson l'aidera peut-être malgré tout, répliqua-t-il. À condition que tu acceptes d'écouter son histoire pour voir comment tu peux l'aider vraiment…

Puis il ajouta brusquement, comme s'il venait d'avoir une révélation :

—Je crois que c'est une bonne idée. Je vais passer la nuit ici. Je pourrai peut-être faire quelque chose pour lui, et, sinon, un peu d'attention et de compagnie ne peuvent pas lui faire de mal…

—Mais tu ne peux pas rester ici, dans la rue, avec cet homme que tu ne connais pas…

Le jeune prince coupa court à mes objections :

—Tu sembles oublier qu'il y a trois jours, tu m'as trouvé moi aussi sur le bord de la route et que tu m'as porté secours. C'est quoi la différence ? Notre aspect extérieur à lui et moi ? Tu m'as dit toi-même qu'il ne fallait pas juger les gens sur leur apparence. Tu as fait ta bonne action, laisse-moi faire la mienne. Va voir tes amis. Je serai sûrement plus utile ici.

Puis il ajouta, comme s'il venait d'avoir une idée :

—Reviens demain matin. Pour que je te fasse mes adieux.

Sur ces mots, il descendit de voiture et alla s'asseoir à côté du clochard. Voyant que j'hésitais à démarrer, il me fit signe de partir.

Après cela, je ne cessai de penser au jeune prince et aux circonstances dans lesquelles nous nous étions quittés. Il était peu probable qu'il parvienne à lier conversation avec le mendiant, car quand quelqu'un a choisi de s'engager sur le chemin de l'autodestruction, il est très difficile de le remettre sur la bonne voie. De plus, il n'était pas exclu que l'homme se montre agressif envers quelqu'un qui cherchait à lui venir en aide. Mais mon ami était capable d'accomplir l'impossible, si tant est que ce mot ait eu un sens pour un cœur aussi pur que le sien et un sourire aussi rayonnant, même si, assis là-bas, à ce coin de rue, avec sa casquette vissée à l'envers sur sa tête, il avait la même allure que n'importe quel gamin des rues.

Durant la fête de baptême, et alors que je partageais la joie de mes amis, l'image du jeune prince refit peu à peu surface dans mes pensées, mais, cette fois, comme une épine qui s'était émoussée.

Lorsque je me retirai dans ma chambre pour dormir, je ne pus m'empêcher de comparer mon lit douillet et bien chaud à la froideur impitoyable du pavé. Je fus pris d'une soudaine envie d'aller le chercher, mais quelque chose me dit que je ne devais pas désobéir à ses ordres. J'ouvris la fenêtre et inspirai la brise fraîche de printemps. La lune éclipsait à peine l'éclat du firmament. En levant les yeux, je restai une fois de plus bouche bée devant la beauté du ciel de Patagonie et sa constellation d'étoiles.

Chapitre 20

Comme j'avais laissé la fenêtre ouverte pour me sentir plus proche de mon ami, je fus éveillé par les premières lueurs du jour. Je m'empressai de m'habiller et, sans même prendre de petit déjeuner, je me rendis à l'endroit où nous nous étions séparés, la veille.

Le nœud qui me serrait l'estomac se dénoua quand je l'aperçus en train de bavarder avec le mendiant, comme s'ils étaient amis depuis toujours.

—Eh ! Bonjour ! me lança-t-il en s'approchant pour me saluer.

Il avait l'air aussi frais que s'il avait dormi sur un lit de pétales de roses.

—Bonjour ! le saluai-je à mon tour. Eh bien ! Que t'a-t-il raconté ? Quelle est son histoire ?

—C'est un brave homme. Un universitaire qui avait une bonne situation. À l'occasion d'une visite médicale, on lui a diagnostiqué une maladie en phase terminale : il ne lui reste que deux ou trois mois à vivre. En sortant de la consultation, il était complètement désespéré et a décidé de mettre fin à ses jours. Heureusement, il n'en a pas eu le courage, ou la lâcheté, et il s'est mis à marcher droit devant lui. Il a sauté dans le premier train et s'est retrouvé ici.

Un sourire se dessina sur les traits du jeune prince quand il vit mon air ahuri, preuve, s'il en fut, qu'une fois de plus, je m'étais trompé dans mon jugement.

—J'ai passé la nuit à le persuader de rentrer chez lui pour que sa famille lui prodigue soins et amour – une façon de lui rendre tout ce qu'elle a reçu de lui. L'amour n'est peut-être pas éternel, mais il peut être infini quand il est offert sans contrepartie.

—C'est vrai, approuvai-je, ému par l'histoire du vagabond. J'ai souvent entendu dire que les derniers moments de la vie sont les plus intenses. Quel bonheur si nous pouvions vivre chaque jour comme si c'était le dernier ! Songe à toutes les choses que nous ferions et à toutes celles que nous refuserions de faire ! Je suis convaincu que la mort accourt d'elle-même quand nous avons appris tout ce que nous sommes venus apprendre en ce monde. Et maintenant, que comptes-tu faire ? demandai-je.

—Je vais l'accompagner jusque chez lui et rester avec lui et sa famille tout le temps qu'il faudra. Et puis, il se produira peut-être un miracle ? dit-il en souriant. Il arrive que les médecins se trompent.

Sur ces mots, il m'étreignit chaleureusement, et j'eus l'impression qu'un courant électrique me traversait le corps, comme si une énergie nouvelle se répandait dans mes nerfs, mes artères et toutes mes cellules, et que je flottais dans l'espace. Quand il me relâcha, je lui décochai un clin d'œil et déclarai :

—Tu as raison : on ne peut pas exclure la possibilité d'un miracle.

Le mendiant semblait lui aussi avoir retrouvé une nouvelle vitalité. Une expression bienveillante se lisait sur ses traits.

Tandis qu'ils s'éloignaient dans la ville encore endormie, j'eus l'impression qu'ils irradiaient une aura de lumière.

Soudain, je voyais la vie sous un jour nouveau. Je compris que c'était le jeune prince qui m'avait guidé avec ses questions dont je connaissais déjà la réponse. C'était à moi de ne pas me laisser submerger par les problèmes. Je devais m'efforcer de ne pas devenir un fantôme ou un homme sérieux, qui ressent plus d'affection pour une machine que pour un animal. Je ne devais pas m'accrocher au passé ou au futur, mais vivre l'instant présent, au contraire, et privilégier l'être plutôt que l'avoir. Pour vivre heureux, je devais ouvrir mon cœur.

Mon ami s'était contenté de me laisser découvrir le meilleur de lui-même pour que je puisse à mon tour découvrir le meilleur de moi-même.

Il avait accompli un miracle qui m'avait entièrement transformé en l'espace de trois jours ; un de ces prodiges qui se produisent sans qu'on s'en rende compte, parce que les miracles de l'amour sont aussi grands qu'ils sont simples.

Des larmes de joie brouillèrent ma vue et je murmurai :

—Merci.

Bien que mon ami soit déjà trop loin pour pouvoir m'entendre, il se retourna et me sourit. Et je compris que l'univers tout entier souriait avec lui.

Épilogue

Telle est l'histoire de mon voyage, cher lecteur, que je me suis empressé d'écrire pour que tu te sentes moins triste.

Tu seras sans doute d'accord avec moi pour dire que la vie est plus belle à présent, et que nous ne devrions plus nous faire autant de soucis maintenant que le jeune prince est revenu et qu'il va rester parmi nous cette fois.

Je ne l'ai pas revu depuis lors. Mais chaque fois que je souris et que j'ai l'occasion de faire quelque chose pour quelqu'un, j'ai l'impression qu'une vague se met en mouvement. Et si la personne que j'ai aidée tend la main à son tour à une autre personne, nous formerons tous ensemble une gigantesque marée qui se répandra dans le monde entier. C'est pourquoi, quand je songe au jeune prince et que je suis triste, je m'efforce de créer une nouvelle vague avec la certitude qu'elle l'atteindra, où qu'il soit. Et, de la même façon, si je suis triste et que quelqu'un me sourit, je sais que le jeune prince n'est pas loin et qu'il me sourit.

Parfois, quand je vois des enfants en train de jouer dans un jardin public, je le cherche parmi eux. Mais alors, je me souviens de mes propres paroles : « Tu ne dois pas te fermer aux autres parce que tu cherches ton ami. » Et je comprends que je dois cesser de le chercher dès lors que je peux le trouver en chacun avec les yeux du cœur.

Au cours de ma vie, j'ai passé des nuits entières à chercher mon ami de ville en ville et de pays en pays, jusqu'au matin où je l'ai trouvé au fond de mon cœur…

C'était une belle nuit de printemps, et l'air était un peu frais. La lune éclipsait à peine l'éclat du firmament. C'est alors que je compris que je devais lever les yeux vers le ciel !

Soudain, il s'est produit quelque chose d'étonnant. Les étoiles semblaient me sourire et, lorsque la brise se leva, elles se mirent à tinter comme des milliers de grelots.

Ce livre est dédié…

À Jésus, le Christ, la lumière qui éclaire mon chemin.

À ma grand-mère María Josefina Miller de Colman, à mon frère, Andreas Christian, à mes amis Juan Àngel Saroba et Gerardo Leone, *in memoriam*.

À Antoine de Saint-Exupéry, qui m'a donné la force de préserver l'innocence et la pureté de mon cœur.

À mes parents, qui au fil des ans se sont efforcés de faire triompher l'amour.

À mes frères, mes cousins et mes amis, qui font décupler mon bonheur quand je le partage avec eux.

À mes professeurs et aux difficultés que j'ai éprouvées sur mon chemin, car grâce à eux j'ai pu forger mon caractère et découvrir mon âme.

À mes filleuls, qui m'aident à contempler l'avenir avec joie et enthousiasme.

Au jeune prince, qui a su saisir l'occasion de retrouver sa joie de vivre au lieu de la repousser.

Ma plus sincère gratitude à tous ceux dont les paroles et les pensées se retrouvent reflétées d'une façon ou d'une autre dans cette œuvre. Après tous les livres, les conversations, tous les échanges entre nous, je ne saurais dire dans quelle mesure chacun d'eux a influencé ma façon de penser ou de ressentir les choses.

Je crois bien que la meilleure façon de leur exprimer ma reconnaissance, c'est de partager les leçons qu'ils m'ont trans-mises et qui m'ont été utiles quand je les ai mises en pratique. Ajoutées à mes expériences propres, elles constituent les fondements sur lesquels, jour après jour, je continue de construire mon bonheur et ma progression spirituelle.

Achevé d'imprimer en mars 2019
sur les presses de la Nouvelle Imprimerie Laballery
58500 Clamecy
Dépôt légal : avril 2019
N° d'impression : 903132

Imprimé en France

La Nouvelle Imprimerie Laballery est titulaire de la marque Imprim'Vert®